#홈스쿨링
#초등 영어 독해 기초력

똑똑한
하루
Reading

똑똑한 하루 Reading
시리즈 구성 Level 1~4

Level 1 A, B
3학년 영어

Level 2 A, B
4학년 영어

Level 3 A, B
5학년 영어

Level 4 A, B
6학년 영어

똑똑한 하루 Reading만의

**똑똑한
부가 자료**

책 속 부록

온라인 자료

머휘 리스트

QR

추가 활동지

▷ QR코드를 스캔하여
편리하게 음원을
들으며 학습하세요.

▷ 다양한 추가 활동지를
book.chunjae.co.kr
에서 다운 받으세요.

똑똑한
하루
Reading

4주 완성
스케줄표

★ 공부한 날짜를 써 봐!

1A

1주 All About Me

1일 8~17쪽	2일 18~23쪽	3일 24~29쪽	4일 30~35쪽	5일 36~41쪽
I Am Max	Favorite Food	In My Bag	I Can Jump	All About Me
월 일	월 일	월 일	월 일	월 일

특강
42~49쪽
월   일

힘을 내! 넌 최고야!

2주 People

5일 78~83쪽	4일 72~77쪽	3일 66~71쪽	2일 60~65쪽	1일 50~59쪽
My Grandparents	Great Neighbors	They Are Twins	Best Friends	My Family
월 일	월 일	월 일	월 일	월 일

특강
84~91쪽
월   일

계획대로만 하면 금방 끝날 거야!

배운 구문은 꼭꼭 복습하기!

3주 Things

1일 92~101쪽	2일 102~107쪽	3일 108~113쪽	4일 114~119쪽	5일 120~125쪽
Yard Sale	At the Park	Different Names	Two Boxes	Ta-Da!
월 일	월 일	월 일	월 일	월 일

특강
126~133쪽
월   일

복습하니까 이해가 쏙쏙! 실력이 쑥쑥!

4주 Numbers

특강	5일 162~167쪽	4일 156~161쪽	3일 150~155쪽	2일 144~149쪽	1일 134~143쪽
168~175쪽	Seven! Seven!	They Are Cheap	Too Expensive!	How Old Are You?	How Many Candies?
월 일	월 일	월 일	월 일	월 일	월 일

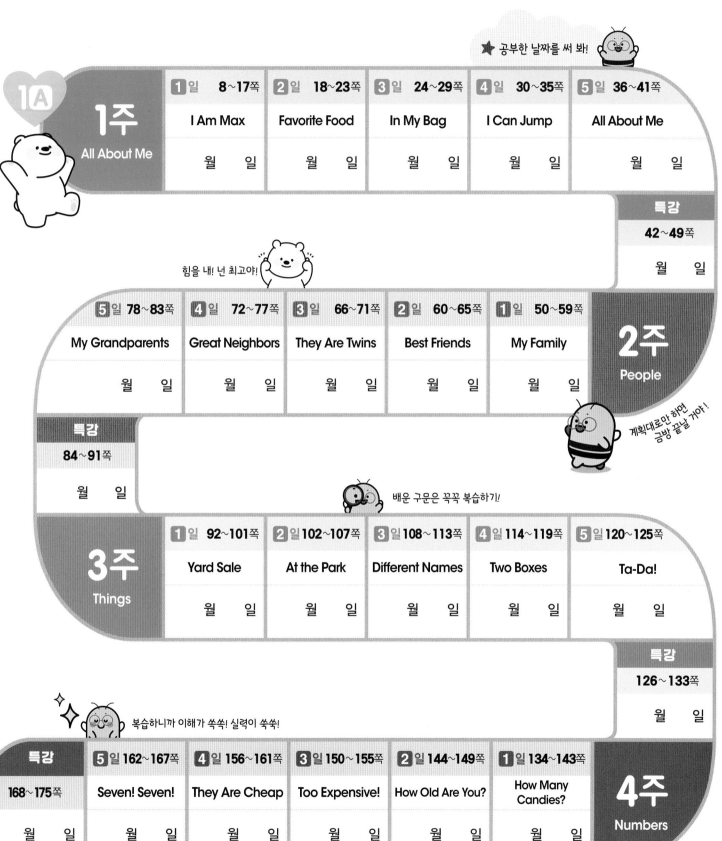

똑똑한 하루 Reading

똑똑한 QR 사용법

QR 음원 편리하게 듣기

1. 표지의 QR 코드를 찍어
   리스트형으로 모아 듣기

2. 교재의 QR 코드를 찍어 바로 듣기

편하고 똑똑하게!

Chunjae
Makes
Chunjae

▼

똑똑한 하루 Reading 1A

편집개발	신원경, 정다혜, 박영미, 이지은
디자인총괄	김희정
표지디자인	윤순미, 이주영
내지디자인	박희춘, 이혜미
제작	황성진, 조규영

발행일	2021년 11월 15일 초판 2022년 10월 1일 2쇄
발행인	(주)천재교육
주소	서울시 금천구 가산로9길 54
신고번호	제2001-000018호
고객센터	1577-0902

똑 똑 한

하루
Reading

3학년 영어

1A

구성과 활용 방법

한 주 미리보기

미리보기 활동

미리보기 만화

• 재미있는 만화를 읽으며 이번 주에 공부할 내용을 생각해 보세요.
• 간단한 활동을 하며 이번 주에 배울 단어와 구문을 알아보세요.

step 1

• 재미있는 만화를 읽으며 오늘 읽을 글의 내용을 생각해 보세요.

• QR 코드를 찍어 새로 배울 단어나 어구를 듣고 써 보세요.

step 2

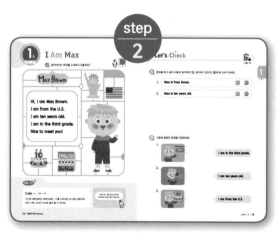

• 짧고 쉬운 글을 읽고 글의 주제를 알아보고 주요 구문을 익혀 보세요.

• QR 코드를 찍어 글을 듣고 한 문장씩 따라 읽어 보세요.

• 문제를 풀어 보며 글을 잘 이해했는지 확인해 보세요.

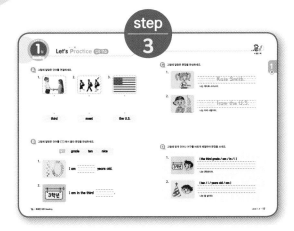

다양한 활동을 하며 오늘 배운 단어와
주요 구문을 복습해 보세요.

누구나 100점
TEST

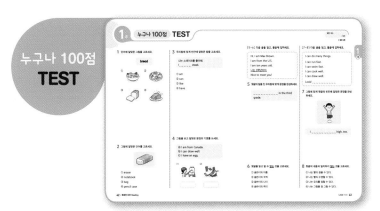

문제를 풀어 보며 한 주 동안 배운 내용을 얼마나
잘 이해했는지 확인해 보세요.

Brain Game Zone

한 주 동안 배운 내용을 창의·사고력 게임으로
재미는 두 배, 사고력은 UP!

말판 놀이

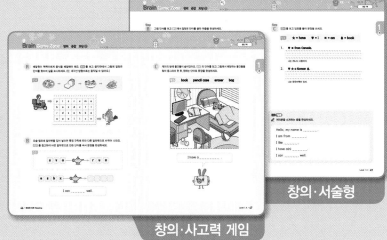

창의·사고력 게임

창의·서술형

똑똑한 하루 Reading 공부할 내용

1주
All About Me

일	단원명	주제	구문	쪽수
1일	I Am Max	자기소개	I am ~.	12
2일	Favorite Food	음식	I like ~.	18
3일	In My Bag	학용품	I have a/an ~.	24
4일	I Can Jump	동작	I can ~.	30
5일	All About Me		1~4일 복습	36
특강	누구나 100점 TEST & Brain Game Zone			42

2주
People

일	단원명	주제	구문	쪽수
1일	My Family	가족	This is ~.	54
2일	Best Friends	친구	He/She is+형용사.	60
3일	They Are Twins	형제·자매	They+일반동사.	66
4일	Great Neighbors	이웃	He/She+일반동사(e)s.	72
5일	My Grandparents		1~4일 복습	78
특강	누구나 100점 TEST & Brain Game Zone			84

일	단원명	주제	구문	쪽수
1일	Yard Sale	사물①	This/That is a ~.	96
2일	At the Park	사물②	These/Those are ~.	102
3일	Different Names	사물③	This/That is not a ~.	108
4일	Two Boxes	사물④	This(These)/That(Those) ~ is(are)+형용사.	114
5일	Ta-Da!		1~4일 복습	120
특강	누구나 100점 TEST **& Brain Game Zone**			126

3주
Things

일	단원명	주제	구문	쪽수
1일	How Many Candies?	개수	I have+숫자+명사.	138
2일	How Old Are You?	나이	I am ~ years old.	144
3일	Too Expensive!	가격①	The ~ is ... dollars.	150
4일	They Are Cheap	가격②	These ~ are ... won.	156
5일	Seven! Seven!		1~4일 복습	162
특강	누구나 100점 TEST **& Brain Game Zone**			168

4주
Numbers

하루 구문 미리보기

♥ 문장을 이루는 것에는 무엇이 있는지 미리 알아볼까요?

주어

동사가 나타내는 동작이나 상태의 주체를 말해요.

I like pizza. 나는 피자를 좋아해.
주어 동사

동사

주어의 동작이나 상태를 나타내는 말이에요.

They play together. 그들은 함께 놀아.
주어 동사

목적어

동사가 나타내는 동작의 대상이 되는 말이에요.

She reads books. 그녀는 책을 읽어.
동사 목적어

보어

주어를 보충해서 설명하는 말이에요.

He is kind. 그는 친절해.
주어 보어

함께 공부할 친구들

로운 ▶ 크리에이터를 꿈꾸는
말썽꾸러기 쌍둥이 동생

로아 ▶ 척척박사
쌍둥이 누나

캐미 ▶ 쌍둥이의 영상을 찍어주는
토끼 카메라

책책이 ▶ 책으로 된 날개를 가진 개구쟁이 새

1주

1주에는 무엇을 공부할까? ❶

재미있는 이야기로 이번 주에 공부할 내용을 알아보세요.

All About Me 나에 관한 모든 것

1주차 공부할 내용

1일 I Am Max   **2**일 Favorite Food   **3**일 In My Bag

4일 I Can Jump   **5**일 All About Me

1주

1주에는 무엇을 공부할까? ②

◉ 여러분이 가지고 있는 물건에 동그라미 해 보세요.

I have a/an ~. 나는 ~을 가지고 있어.

notebook

pencil case

eraser

bag

book

B

◉ 여러분이 할 수 있는 것에 ✔ 표 해 보세요.

I can ~. 나는 ~할 수 있어.

run

swim

cook

draw

jump

I Am Max

나는 맥스야   자기소개

📦 **재미있는 이야기로 오늘 읽을 글의 내용을 생각해 보세요.**

New Words 오늘 배울 단어를 듣고 써 보세요.

the U.S. 미국

ten 10, 열

third 세 번째의

grade 학년

nice 좋은

meet 만나다

I Am Max

Q 남자아이는 무엇을 소개하고 있을까요?

Max Brown

Hi, I am Max Brown.

I am from the U.S.

I am ten years old.

I am in the third grade.

Nice to meet you!

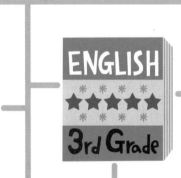

ENGLISH

★ ★ ★ ★ ★

3rd Grade

하루 구문

I am ~. 나는 ~야.

자신에 대해 말하는 표현이에요. '나'를 나타내는 I는 항상 대문자로 써요. 이때 I am은 I'm으로 줄여 쓸 수 있어요.

우리는 성-이름 순으로 쓰지만 서양에서는 이름 다음에 성을 써요.

Let's Check

▶정답 1쪽

 문장을 읽고 글의 내용과 일치하면 , 일치하지 않으면 에 동그라미 하세요.

1. Max is from Korea.

2. Max is ten years old.

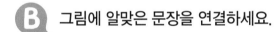 그림에 알맞은 문장을 연결하세요.

1.

    I am in the third grade.

2.

    I am ten years old.

3.

    I am from the U.S.

Let's Practice 집중 연습

 그림에 알맞은 단어를 연결하세요.

1.

•

2.

•

3.

•

•

third

•

meet

•

the U.S.

B 그림에 알맞은 단어를 보기 에서 골라 문장을 완성하세요.

보기   grade   ten   nice

1.

I am _____ years old.

2.

I am in the third _____ .

C 그림에 알맞은 문장을 완성하세요.

1.

Kate Smith.

나는 케이트 스미스야.

2.

from the U.S.

나는 미국 사람이야.

D 그림에 맞게 단어나 어구를 바르게 배열하여 문장을 쓰세요.

1.

(the third grade / am / in / I)

나는 3학년이야.

2.

(ten / I / years old / am)

나는 열 살이야.

가장 좋아하는 음식   음식

Favorite Food

재미있는 이야기로 오늘 읽을 글의 내용을 생각해 보세요.

New Words 오늘 배울 단어를 듣고 써 보세요.

pizza 피자

bread 빵

salad 샐러드

chicken 치킨

food 음식

like 좋아하다

Favorite Food

Q 여자아이가 좋아하는 음식은 무엇일까요?

This is my favorite food.

I like pizza.

I like bread.

I like salad.

I like chicken.

Oh, I am so full.

What is your favorite food?

 하루 구문

I like ~. 나는 ~을 좋아해.

어떤 것을 좋아한다고 말하는 표현이에요. 사물이나 사람을 좋아한다고
할 때는 like 뒤에 명사를 써요.

피자는 이탈리아를 대표하는
음식으로 미국으로 건너간
이탈리아 사람들이 만들어 팔면서
그 이름을 알리게 되었어요.

Let's Check

▶정답 2쪽

 문장을 읽고 글의 내용과 일치하면 , 일치하지 않으면 에 동그라미 하세요.

1. The girl talks about her favorite food.

2. The girl likes pizza.

3. The girl is so hungry.

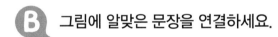 그림에 알맞은 문장을 연결하세요.

1.

• I like bread.

2.

• I like salad.

3.

• I like chicken.

Let's Practice 집중 연습

 그림에 알맞은 단어를 연결하세요.

1.
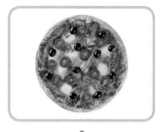

2.

3.

chicken   salad   pizza

B 그림에 알맞은 단어를 보기 에서 골라 문장을 완성하세요.

보기   like   bread   food

1.

This is my favorite _____.

2.

I _____ pizza.

C 그림에 알맞은 문장을 완성하세요.

1.

salad.

나는 샐러드를 좋아해.

2.

bread.

나는 빵을 좋아해.

D 그림에 맞게 단어를 바르게 배열하여 문장을 쓰세요.

1.

(like / I / pizza)

나는 피자를 좋아해.

2.

(chicken / like / I)

나는 치킨을 좋아해.

내 가방 속에

학용품

In My Bag

📦 재미있는 이야기로 오늘 읽을 글의 내용을 생각해 보세요.

New Words　오늘 배울 단어를 듣고 써 보세요.

notebook 공책

pencil case 필통

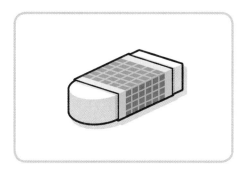

eraser 지우개

bag 가방

have 가지다

egg 달걀

In My Bag

Q 남자아이의 가방에는 무엇이 들어있을까요?

Here is my bag.

I have a notebook.

I have a pencil case.

I have an eraser.

Look! I have an egg, too.

Oh, no!

하루 구문

I have a/an ~. 나는 ~을 가지고 있어.

무엇을 가지고 있는지 말하는 표현이에요. 뒤에 오는 명사의 첫소리가
모음 a, e, i, o, u로 발음되는 경우 a 대신 an을 써요.

우리가 흔히 노트북이라고 부르는
컴퓨터는 영어로 laptop 혹은
notebook computer라고 해요.

Let's Check

▶정답 3쪽

A 글의 내용과 일치하도록 괄호 안에서 알맞은 것을 골라 동그라미 하세요.

1. The boy has a (book / notebook).

2. (An egg / A cat) is in the boy's bag.

B 그림에 알맞은 문장을 연결하세요.

1.

•   • I have an egg.

2.

•   • I have a pencil case.

3.

•   • I have an eraser.

Let's Practice 집중 연습

A 그림에 알맞은 단어를 연결하세요.

1.

2.

3.

egg   pencil case   eraser

B 그림에 알맞은 단어를 보기 에서 골라 문장을 완성하세요.

보기   notebook   bag   have

1.

Here is my _____.

2.

I _____ an eraser.

C 그림에 알맞은 문장을 완성하세요.

1.

_____ egg.

나는 달걀이 있어.

2.

_____ pencil case.

나는 필통이 있어.

D 그림에 맞게 단어를 바르게 배열하여 문장을 쓰세요.

1.

(eraser / I / have / an)

_____

나는 지우개가 있어.

2.

(have / a / I / notebook)

_____

나는 공책이 있어.

I Can Jump

나는 점프할 수 있어

동작

🎁 재미있는 이야기로 오늘 읽을 글의 내용을 생각해 보세요.

New Words 오늘 배울 단어를 듣고 써 보세요.

run 달리다

swim 수영하다

cook 요리하다

draw 그리다

jump 점프하다

high 높이

I Can Jump

Q 여자아이는 무엇을 할 수 있을까요?

I can do many things.

I can run fast.

I can swim fast.

I can cook well.

I can draw well.

Look! I can jump high, too.

하루 구문

I can ~. 나는 ~할 수 있어.

어떤 행동을 할 수 있는지 말하는 표현이에요. can 다음에는 반드시
동사의 원형을 써요.

> can의 경우 미국식 영어는 '캔',
> 영국식 영어는 '칸'에 가깝게 발음해요.

Let's Check

▶정답 4쪽

 문장을 읽고 글의 내용과 일치하면 T, 일치하지 않으면 F에 동그라미 하세요.

1. The girl can do many things.

2. The girl can run fast.

3. The girl can jump fast.

B 그림에 알맞은 문장을 연결하세요.

1.

    I can swim fast.

2.

    I can draw well.

3.

    I can jump high.

Let's Practice 집중 연습

A 그림에 알맞은 단어를 연결하세요.

1.

2.

3.

run

swim

jump

B 그림에 알맞은 단어를 보기에서 골라 문장을 완성하세요.

보기   draw   cook   high

1.

I can _____ well.

2.

I can jump _____ .

정답 4쪽

▶정답 4쪽

C 그림에 알맞은 문장을 완성하세요.

1.

I _____ well.

나는 그림을 잘 그릴 수 있어.

2.

I _____ fast.

나는 빨리 달릴 수 있어.

D 그림에 맞게 단어를 바르게 배열하여 문장을 쓰세요.

1.

(can / swim / fast / I)

_____

나는 빨리 수영할 수 있어.

2.

(I / jump / high / can)

_____

나는 높이 점프할 수 있어.

나에 관한 모든 것
All About Me 1~4일 복습

🎁 재미있는 이야기로 오늘 읽을 글의 내용을 생각해 보세요.

New Words 오늘 배울 단어를 듣고 써 보세요.

9

name 이름

Canada 캐나다

steak 스테이크

dog 개

cat 고양이

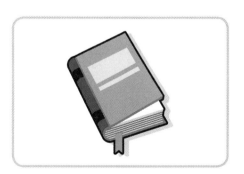

book 책

All About Me

Q 여자아이는 자신에 관해 무엇을 말하고 있을까요?

Hello, my name is Lucy Jones.

I am from Canada.

I like steak.

I have a dog and a cat.

Look! I have a Korean book.

I can speak Korean.

"안녕하세요."

I am ~.
나는 ~야.

I have a/an ~.
나는 ~을 가지고 있어.

I like ~.
나는 ~을 좋아해.

I can ~.
나는 ~할 수 있어.

Let's Check

▶정답 5쪽

1
주

A 글의 내용과 일치하도록 빈칸에 알맞은 것을 고르세요.

1. The girl's name is _____.

   ⓐ Lucy Jones   ⓑ Lucy Smith   ⓒ Emma Jones

2. The girl is from _____.

   ⓐ the U.S.   ⓑ Korea   ⓒ Canada

B 그림에 알맞은 문장을 연결하세요.

1.    •

   •   I can speak Korean.

2.    •

   •   I like steak.

3.    •

   •   I have a dog and a cat.

Let's Practice 집중 연습

 그림에 알맞은 단어를 연결하세요.

1.

2.

3.

Canada

cat

book

B 그림에 알맞은 단어를 보기 에서 골라 문장을 완성하세요.

보기   dog   steak   name

1.

I have a ＿＿＿＿＿＿ and a cat.

2.

I like ＿＿＿＿＿＿.

C 그림에 알맞은 문장을 완성하세요.

1.

<u>from Canada.</u>

나는 캐나다 사람이야.

2.

<u>Korean book.</u>

나는 한국어책이 있어.

D 그림에 맞게 단어를 바르게 배열하여 문장을 쓰세요.

1.

(like / I / steak)

나는 스테이크를 좋아해.

2.

(speak / can / Korean / I)

나는 한국말을 할 수 있어.

1 단어에 알맞은 그림을 고르세요.

bread

①   ②

③   ④

2 그림에 알맞은 단어를 고르세요.

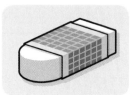

① eraser
② notebook
③ bag
④ pencil case

3 우리말에 맞게 빈칸에 알맞은 말을 고르세요.

나는 스테이크를 좋아해.
I _____ steak.

① am
② can
③ like
④ have

4 그림을 보고 알맞은 문장의 기호를 쓰세요.

ⓐ I am from Canada.
ⓑ I can draw well.
ⓒ I have an egg.

(1)  (2)

[5~6] 다음 글을 읽고, 물음에 답하세요.

Hi, I am Max Brown.

I am from the U.S.

I am ten years old.

<u>나는 3학년이야.</u>

Nice to meet you!

5 윗글의 밑줄 친 우리말에 맞게 문장을 완성하세요.

_____ _____ in the third grade.

6 윗글을 읽고 알 수 <u>없는</u> 것을 고르세요.

① 글쓴이의 이름

② 글쓴이의 국적

③ 글쓴이의 나이

④ 글쓴이의 취미

[7~8] 다음 글을 읽고, 물음에 답하세요.

I can do many things.

I can run fast.

I can swim fast.

I can cook well.

I can draw well.

Look! _____

7 그림에 맞게 윗글의 빈칸에 알맞은 문장을 완성하세요.

I _____ _____ high, too.

8 윗글의 내용과 일치하지 <u>않는</u> 것을 고르세요.

① 나는 빨리 걸을 수 있다.

② 나는 빨리 수영할 수 있다.

③ 나는 요리를 잘할 수 있다.

④ 나는 그림을 잘 그릴 수 있다.

🧩 배운 내용을 떠올리며 말판 놀이를 해 보세요.

START

1. 그림을 보고 알맞은 단어에 동그라미 하세요.

ten   third

2. 그림에 알맞은 단어를 완성하세요.

s □ la □

3. 그림과 단어가 일치하면 ○ 표, 일치하지 않으면 × 표 하세요.

swim □

4. 단어를 읽고 알맞은 우리말 뜻과 연결하세요.

draw ·   · 가방

bag ·   · 그리다

5. 그림을 보고 알파벳을 바르게 배열하여 단어를 쓰세요.

eobntoko

→ _____

6. 문장을 읽고 알맞은 그림에 동그라미 하세요.

I can cook well.

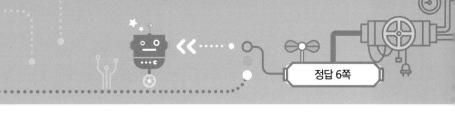

7. 그림과 문장이 일치하면 ○ 표,
   일치하지 않으면 × 표 하세요.

I have a book. ⬚

8. 그림을 보고 알맞은 문장에 ✓ 표
   하세요.

I like chicken. ⬚

I like pizza. ⬚

9. 우리말에 맞게 문장을 완성하세요.

나는 빨리 달릴 수 있어.

→ I _____ _____ fast.

10. 우리말에 맞게 단어를 바르게 배열하여
    문장을 쓰세요.

나는 캐나다 사람이야.

(from / am / Canada / I)

→ _____

A 배달원이 책책이에게 음식을 배달해야 해요. 단서 를 보고 글자판에서 그림에 알맞은 단어를 찾으며 길을 표시하세요. (단, 대각선 방향으로는 움직일 수 없어요.)

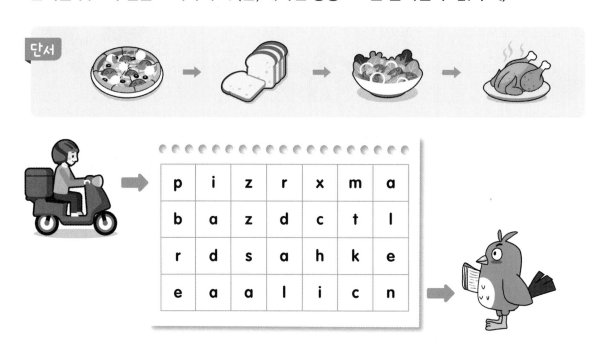

B 요술 램프에 알파벳을 집어 넣으면 특정 규칙에 따라 다른 알파벳으로 바뀌어 나와요. 힌트 를 참고하여 바뀐 알파벳으로 만든 단어를 써서 문장을 완성하세요.

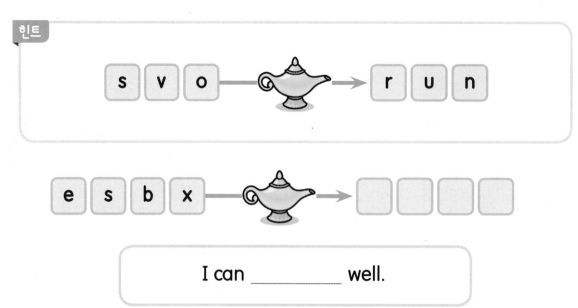

I can _____ well.

C 캐미의 방에 물건들이 숨어있어요. 보기 의 단어를 읽고 그림에서 해당하는 물건들을 찾아 동그라미 한 후, 원하는 단어로 문장을 완성하세요.

보기 **book   pencil case   eraser   bag**

I have a _____ .

Step A 그림 단서를 보고 보기 에서 알맞은 단어를 골라 퍼즐을 완성하세요.

보기   have   name   cat   steak

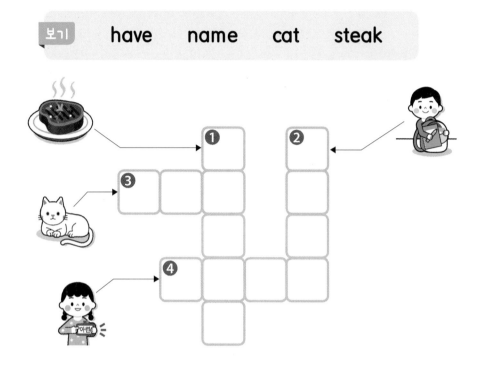

Step B Step A 의 단어를 사용하여 글을 완성하세요.

Hello, my _____ is Lucy Jones.

I am from Canada.

I like 🍳 _____.

I have a dog and a 🐱 _____.

Look! I _____ a Korean book.

I can speak Korean.

"안녕하세요."

Step C

단서 를 보고 암호를 풀어 문장을 쓰세요.

단서   ★ = have   ♥ = I   ※ = am   ♠ = book

1.   ♥ ※ from Canada.

_____
- -
_____

나는 캐나다 사람이야.

2.   ♥ ★ a Korean ♠.

_____
- -
_____

나는 한국어책이 있어.

창의 서술형

 여러분을 소개하는 글을 완성하세요.

Hello, my name is _____.

I am from _____.

I like _____.

I have a(n) _____.

I can _____ well.

2주에는 무엇을 공부할까? ①

재미있는 이야기로 이번 주에 공부할 내용을 알아보세요.

People 사람들

1일 My Family　**2**일 Best Friends　**3**일 They Are Twins

4일 Great Neighbors　**5**일 My Grandparents

여러분 주변 가족이나 친구들 중 그림에 어울리는 사람의 이름을 써 보세요.

He/She is + 형용사. 그/그녀는 ~해.

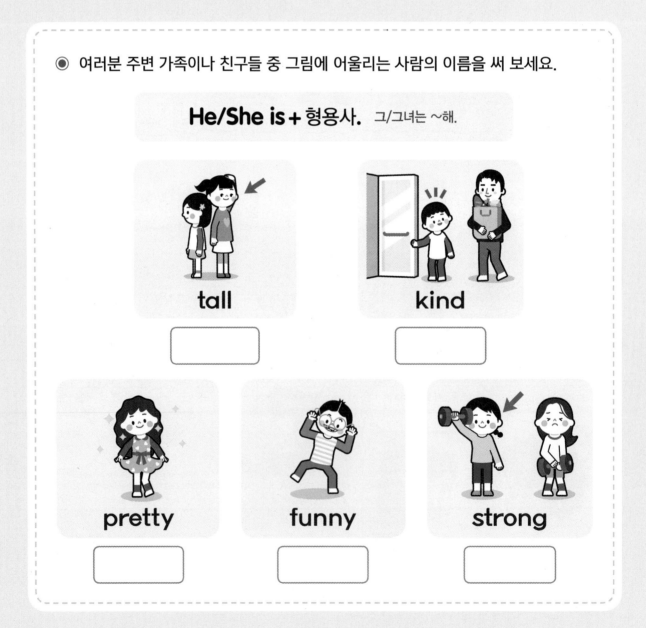

B

2 주

◉ 다음 행동을 하는 사람에게 어울리는 직업을 연결해 보세요.

He/She + 일반동사(e)s. 그/그녀는 ~해.

❶

dance

❷

sing

❸

paint

Ⓐ

painter

Ⓑ

dancer

Ⓒ

singer

답  ①-ⓑ, ②-ⓒ, ③-ⓐ

내 가족

My Family

가족

🎁 재미있는 이야기로 오늘 읽을 글의 내용을 생각해 보세요.

New Words   오늘 배울 단어를 듣고 써 보세요.

mom 엄마

dad 아빠

sister 언니, 누나, 여동생

brother 오빠, 형, 남동생

family 가족

okay 괜찮은

My Family

Q 여자아이의 가족은 모두 몇 명일까요?

This is my family.

This is my mom.
This is my dad.
This is my sister.

Where is my brother?
Oh, there he is.
Are you okay?

This is ~. 이 사람은 ~야.

다른 사람을 소개할 때는 this is 다음에 이름이나 관계를 나타내는 말을 넣어 표현해요.

영어에서는 나이에 상관없이 남자 형제는 모두 brother, 여자 형제는 모두 sister라고 불러요.

Let's Check

▶ 정답 8쪽

 문장을 읽고 글의 내용과 일치하면 , 일치하지 않으면 에 동그라미 하세요.

1. The girl has a mom and a dad.

2. The girl has a brother.

3. The girl has three family members.

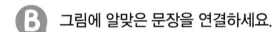 그림에 알맞은 문장을 연결하세요.

1.

This is my mom.

2.

This is my dad.

3.

This is my sister.

Let's Practice 집중 연습

 A 그림에 알맞은 단어를 연결하세요.

1.

2.

3.

family

mom

brother

B 그림에 알맞은 단어를 보기 에서 골라 문장을 완성하세요.

보기   okay   sister   dad

1.

This is my _____.

2.

Are you _____?

정답 8쪽

C 그림에 알맞은 문장을 완성하세요.

1.

_____ ____ my mom.

이 분은 내 엄마셔.

2.

_____ ____ my brother.

이 사람은 내 형이야.

D 그림에 맞게 단어를 바르게 배열하여 문장을 쓰세요.

1.

(my / is / family / This)

이 사람들은 내 가족이야.

2.

(dad / is / This / my)

이 분은 내 아빠셔.

2일 Reading

가장 친한 친구들
Best Friends
친구

🎁 **재미있는 이야기로 오늘 읽을 글의 내용을 생각해 보세요.**

New Words 오늘 배울 단어를 듣고 써 보세요.

tall 키가 큰

kind 친절한

pretty 예쁜

funny 재미있는

friend 친구

together 함께

Best Friends

Q 여자아이 친구들의 특징은 무엇일까요?

Luke and Ella are my best friends.

This is Luke.

He is tall.

He is kind.

This is Ella.

She is pretty.

She is funny.

We are always together.

Luke

Ella

Me

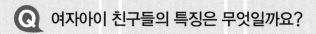

하루 구문

He/She is + 형용사. 그/그녀는 ~해.

그나 그녀의 외모나 성격을 묘사하는 표현이에요. 사람이나 사물의 이름을 대신하는 말을 대명사라고 하며, he는 남자, she는 여자를 나타 내는 대명사예요.

영어로 절친한 친구를 bff(best friend forever) 라고도 해요.

Let's Check

▶정답 9쪽

A 문장을 읽고 글의 내용과 일치하면 T , 일치하지 않으면 F 에 동그라미 하세요.

1. Luke and Ella are the girl's friends.

2. Ella is tall and kind.

3. The girl is always with Luke and Ella.

B 그림에 알맞은 문장을 연결하세요.

1.

He is tall.

2.

He is kind.

3.

She is funny.

Let's Practice 집중 연습

 A 그림에 알맞은 단어를 연결하세요.

1.

2.

3.

tall

funny

friend

B 그림에 알맞은 단어를 보기 에서 골라 문장을 완성하세요.

보기   pretty   kind   together

1.

She is _____.

2.

We are always _____.

▶정답 9쪽

C 그림에 알맞은 문장을 완성하세요.

1.

____ ____ funny.

그는 재미있어.

2.

____ ____ kind.

그녀는 친절해.

D 그림에 맞게 단어를 바르게 배열하여 문장을 쓰세요.

1.

(She / pretty / is)

그녀는 예뻐.

2.

(tall / is / He)

그는 키가 커.

그들은 쌍둥이야

형제·자매

They Are Twins

📦 **재미있는 이야기로 오늘 읽을 글의 내용을 생각해 보세요.**

New Words

오늘 배울 단어를 듣고 써 보세요.

5

play 놀다

read 읽다

eat 먹다

sleep 자다

twin 쌍둥이

same 똑같은

They Are Twins

Q 쌍둥이는 무엇을 같이 할까요?

Mia and Gina are twins.

They play together.
They read together.
They eat together.
They sleep together.

They look the same.
Who is Mia?
Who is Gina?

They + 일반동사. 그들은 ~해.

그들이 하는 행동을 말하는 표현이에요. 다른 여러 사람을 말할 때는 주어 they를 쓰고, they 뒤에는 일반동사의 원형이 와요.

who는 '누구'라는 뜻으로, 사람을 가리켜 누구인지 물을 때 써요.

Let's Check

▶정답 10쪽

 문장을 읽고 글의 내용과 일치하면 , 일치하지 않으면 에 동그라미 하세요.

1. Mia and Gina are friends.　　　　　

2. Mia and Gina read together.　　　　T　F

3. Mia and Gina look the same.　　　　T　F

 그림에 알맞은 문장을 연결하세요.

1.
　•　　　　•　Mia and Gina are twins.

2.
　•　　　　•　They eat together.

3.
　•　　　　•　They sleep together.

Let's Practice 집중 연습

 A 그림에 알맞은 단어를 연결하세요.

1.

2.

3.

eat

read

sleep

B 그림에 알맞은 단어를 보기 에서 골라 문장을 완성하세요.

보기   twin   same   play

1.

They look the ＿＿＿＿＿＿＿.

2.

They ＿＿＿＿＿＿ together.

▶정답 10쪽

C 그림에 알맞은 문장을 완성하세요.

1.

together.

그들은 함께 먹어.

2.

together.

그들은 함께 잠을 자.

D 그림에 맞게 단어를 바르게 배열하여 문장을 쓰세요.

1.

(play / They / together)

그들은 함께 놀아.

2.

(together / read / They)

그들은 함께 읽어.

멋진 이웃들
Great Neighbors

이웃

📦 **재미있는 이야기로 오늘 읽을 글의 내용을 생각해 보세요.**

New Words 오늘 배울 단어를 듣고 써 보세요.

7

dance 춤추다

dancer 댄서

sing 노래하다

singer 가수

paint 그리다

painter 화가

Great Neighbors

Q 이웃들이 잘하는 것은 무엇일까요?

I have great neighbors.

Ms. Davis is a dancer.
She dances well.

Mr. Brown is a singer.
He sings well.

Mr. Jones is a painter.
He paints well.

하루 구문

He/She + 일반동사(e)s. 그/그녀는 ~해.

그나 그녀가 하는 행동을 말하는 표현이에요. 주어가 3인칭 단수일 때
일반동사에는 s나 es를 붙여요.

Mr.는 남성, Ms.는 여성에 대한
존중을 표현하는 호칭이에요.

Let's Check

▶정답 11쪽

 글의 내용과 일치하도록 괄호 안에서 알맞은 것을 골라 동그라미 하세요.

1. The story is about great (teachers / neighbors).

2. Ms. Davis is a (painter / dancer).

B 그림에 알맞은 문장을 연결하세요.

1.  •

• She dances well.

2.  •

• He sings well.

3.  •

• Mr. Jones is a painter.

Let's Practice 집중 연습

 A 그림에 알맞은 단어를 연결하세요.

1.

2.

3.

dancer

sing

paint

B 그림에 알맞은 단어를 보기 에서 골라 문장을 완성하세요.

보기   painter   dance   singer

1.

Mr. Brown is a _____.

2.

Mr. Jones is a _____.

C 그림에 알맞은 문장을 완성하세요.

1.

She _____ well.

그녀는 춤을 잘 춰.

2.

He _____ well.

그는 그림을 잘 그려.

D 그림에 맞게 단어를 바르게 배열하여 문장을 쓰세요.

1.

(She / well / sings)

그녀는 노래를 잘해.

2.

(dances / He / well)

그는 춤을 잘 춰.

내 조부모님

My Grandparents 1~4일 복습

📦 **재미있는 이야기로 오늘 읽을 글의 내용을 생각해 보세요.**

New Words 오늘 배울 단어를 듣고 써 보세요.

grandma 할머니

grandpa 할아버지

strong 힘이 센

build 짓다

house 집

love 사랑하다

My Grandparents

Q 아기 수달은 누구를 소개하고 있을까요?

This is my grandma.

She is kind.

She reads books to me.

This is my grandpa.

He is strong.

He builds a house.

They love me.

And I love them.

하루 구문 복습!

This is ~. 이 사람은 ~야.	**He/She is + 형용사.** 그/그녀는 ~해.
They + 일반동사. 그들은 ~해.	**He/She + 일반동사(e)s.** 그/그녀는 ~해.

Let's Check

▶정답 12쪽

 글의 내용과 일치하도록 괄호 안에서 알맞은 것을 골라 동그라미 하세요.

1. (Grandma / Grandpa) is kind.

2. Grandpa builds a (car / house).

 그림에 알맞은 문장을 연결하세요.

1.

    This is my grandma.

2.

    He is strong.

3.

    They love me.

Let's Practice 집중 연습

 A 그림에 알맞은 단어를 연결하세요.

1.

2.

3.

•

•

•

•

•

•

grandma

grandpa

build

B 그림에 알맞은 단어를 보기 에서 골라 문장을 완성하세요.

보기　　strong　　house　　love

1.

They ＿＿＿＿＿＿ me.

2.

He builds a ＿＿＿＿＿.

C 그림에 알맞은 문장을 완성하세요.

1.

_____ my grandpa.

이 분은 내 할아버지셔.

2.

She _____ books to me.

그녀는 내게 책을 읽어 주셔.

D 그림에 맞게 단어를 바르게 배열하여 문장을 쓰세요.

1.

(me / love / They)

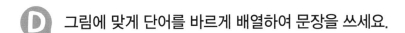

그들은 나를 사랑하셔.

2.

(He / strong / is)

그는 힘이 세.

1 단어에 알맞은 그림을 고르세요.

kind

①  ②

③  ④

2 그림에 알맞은 단어를 고르세요.

① painter
② dancer
③ singer
④ sister

3 우리말에 맞게 빈칸에 알맞은 말을 고르세요.

이 분은 내 아빠셔.
_____ is my dad.

① It
② She
③ They
④ This

4 그림을 보고 알맞은 문장의 기호를 쓰세요.

ⓐ He is tall.
ⓑ They eat together.
ⓒ She dances well.

(1)  (2)

[5~6] 다음 글을 읽고, 물음에 답하세요.

Mia and Gina are twins.

They play together.

They read together.

They eat together.

_____

They look the same.

Who is Mia?

Who is Gina?

5 그림에 맞게 윗글의 빈칸에 알맞은 문장을 완성
하세요.

_____ _____ together.

6 윗글의 쌍둥이가 함께 하는 행동이 <u>아닌</u> 것을
고르세요.

① 놀기

② 읽기

③ 먹기

④ 노래하기

[7~8] 다음 글을 읽고, 물음에 답하세요.

I have great neighbors.

Ms. Davis is a dancer.

<u>그녀는 춤을 잘 추서.</u>

Mr. Brown is a singer.

He sings well.

Mr. Jones is a painter.

He paints well.

7 윗글의 밑줄 친 우리말에 맞게 문장을 완성하세요.

She _____ well.

8 윗글의 내용과 일치하지 <u>않는</u> 것을 고르세요.

① 글쓴이의 이웃들은 멋지다.

② 데이비스 씨는 가수이다.

③ 브라운 씨는 노래를 잘한다.

④ 존스 씨는 화가이다.

배운 내용을 떠올리며 말판 놀이를 해 보세요.

2. 그림에 알맞은 단어를 완성하세요.

☐re☐ty

3. 그림과 단어가 일치하면 ○ 표, 일치하지 않으면 × 표 하세요.

grandma ☐

4. 단어를 읽고 알맞은 우리말 뜻 연결하세요.

play ·   · 놀다

family ·   · 가족

1. 그림을 보고 알맞은 단어에 동그라미 하세요.

eat   build

5. 그림을 보고 알파벳을 바르게 배열하여 단어를 쓰세요.

unyfn

→ _____

6. 문장을 읽고 알맞은 그림에 동 라미 하세요.

This is my mom.

START

정답 13쪽

9. 우리말에 맞게 단어를 바르게 배열하여 문장을 쓰세요.

> 그들은 함께 읽어.

(together / They / read)

→ _____

10. 우리말에 맞게 문장을 완성하세요.

> 이 사람은 내 형이야.

→ _____ _____ my brother.

7. 그림과 문장이 일치하면 ○ 표, 일치하지 않으면 × 표 하세요.

She is strong. ☐

8. 그림을 보고 알맞은 문장에 ✓ 표 하세요.

She paints well. ☐

She sings well. ☐

A 카드에 숫자와 알파벳이 적혀 있어요. 힌트 를 참고하여 규칙을 찾아 단어와 우리말 뜻을 쓰세요.

힌트

2	3	1
a	d	d

단어 : **dad**

뜻 : 아빠

1.

3	6	1	4	2	5
s	r	s	t	i	e

단어: _____ 뜻: _____

2.

5	2	7	4	1	6	3
d	r	a	n	g	p	a

단어: _____ 뜻: _____

B 알파벳 구슬을 꿰어 단어 팔찌를 만들고 있어요. 우리말에 맞게 빈 구슬에 들어갈 알파벳을 쓴 후, 숫자에 맞는 알파벳을 빈칸에 넣어 문장을 완성하세요.

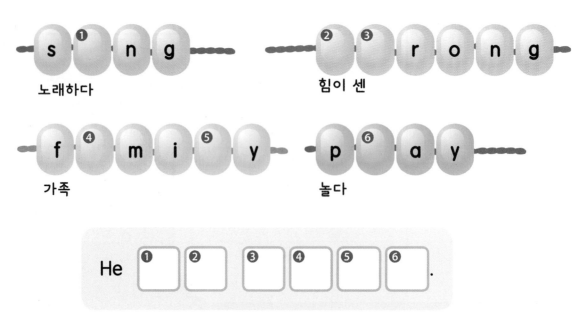

s ❶ n g
노래하다

❷ ❸ r o n g
힘이 센

f ❹ m i ❺ y
가족

p ❻ a y
놀다

He ❶☐ ❷☐ ❸☐ ❹☐ ❺☐ ❻☐ .

C 책책이와 캐미가 가지고 있는 알파벳 중 몇 개를 서로 바꿨어요. 책책이와 캐미가 최종적으로 가지고 있는 알파벳으로 만든 단어로 문장을 완성하세요.

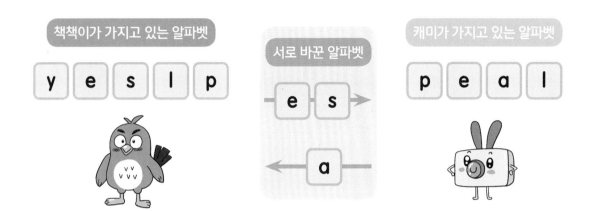

책책이가 가지고 있는 알파벳
y e s l p

서로 바꾼 알파벳
e s →
← a

캐미가 가지고 있는 알파벳
p e a l

1.

책책이가 최종적으로 가지고 있는 알파벳

They _____ together.

2.

캐미가 최종적으로 가지고 있는 알파벳

They _____ together.

Step A

그림 단서를 보고 보기 에서 알맞은 단어를 골라 퍼즐을 완성하세요.

보기 love   house   strong   grandma

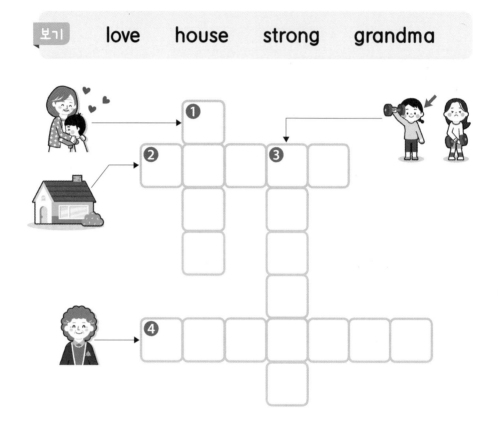

Step B

Step A 의 단어를 사용하여 글을 완성하세요.

This is my _____.

She is kind.

She reads books to me.

This is my grandpa.

He is _____.

He builds a _____.

They _____ me.

And I love them.

Step C

단서 를 보고 암호를 풀어 문장을 쓰세요.

단서   ※ = reads   ♥ = is   ♠ = She   ★ = This

1.   ★ ♥ my grandma.

_____

이 분은 내 할머니셔.

2.   ♠ ※ books to me.

_____

그녀는 내게 책을 읽어 주셔.

창의 서술형

✎ 여러분의 가족이나 친구를 소개하는 글을 완성하세요.

This is my _____.

She is _____.

She _____ well.

This is my _____.

He is _____.

He _____ well.

3주에는 무엇을 공부할까? ①

재미있는 이야기로 이번 주에 공부할 내용을 알아보세요.

Things 사물들

3주차 공부할 내용

1일 Yard Sale   **2**일 At the Park   **3**일 Different Names

4일 Two Boxes   **5**일 Ta-Da!

3주

◉ 다음 짝지어진 물건들의 공통점과 차이점을 말해 보세요.

This is not a ~. 이것은 ~이 아니야.

clock

desk

door

watch

table

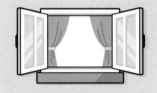

window

B

여러분 주변에서 그림에 어울리는 물건을 찾아 써 보세요.

This ~ is + 형용사. 이 ~은 …해.

야드 세일
Yard Sale
사물 ①

📦 **재미있는 이야기로 오늘 읽을 글의 내용을 생각해 보세요.**

New Words 오늘 배울 단어를 듣고 써 보세요.

doll 인형

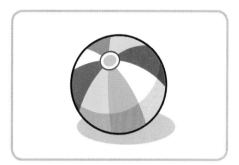

ball 공

camera 카메라

cup 컵

toy 장난감

spider 거미

Yard Sale

Q 여자아이가 팔고 있는 물건은 무엇일까요?

Sally has a yard sale.

This is a doll.
This is a ball.
That is a camera.
That is a cup.

Is that a toy?
No, it is a spider.
Run!

하루 구문

This/That is a ~. 이것/저것은 ~야.

주변의 사물을 나타내는 표현이에요. this는 손안이나 가까운 곳,
that은 상대적으로 먼 곳에 있는 사물 하나를 지시할 때 써요.

사용하지 않는 물건을
집 마당에 내놓고 파는 것을
야드 세일이라고 해요.

Let's Check

▶정답 15쪽

A 문장을 읽고 글의 내용과 일치하면 T, 일치하지 않으면 F에 동그라미 하세요.

1. Sally has a yard sale.

2. Sally sells a camera.

3. Sally sells a spider.

B 그림에 알맞은 문장을 연결하세요.

1.

This is a doll.

2.

This is a ball.

3.

That is a cup.

Let's Practice 집중 연습

A 그림에 알맞은 단어를 연결하세요.

1.  2.  3.

B 그림에 알맞은 단어를 보기에서 골라 문장을 완성하세요.

보기   toy   spider   camera

1.  That is a _____.

2.  It is a _____.

▶정답 15쪽

C 그림에 알맞은 문장을 완성하세요.

1.

_____ cup.

저것은 컵이야.

2.

_____ doll.

이것은 인형이야.

D 그림에 맞게 단어를 바르게 배열하여 문장을 쓰세요.

1.

(a / This / ball / is)

_____

이것은 공이야.

2.

(toy / is / a / That)

_____

저것은 장난감이야.

똑똑한 하루

2일

Reading

공원에서

사물 ②

At the Park

🎁 재미있는 이야기로 오늘 읽을 글의 내용을 생각해 보세요.

New Words 오늘 배울 단어를 듣고 써 보세요.

bike 자전거

bench 벤치

kite 연

balloon 풍선

park 공원

stop 멈추다

At the Park

Q 공원에는 어떤 사물들이 있을까요?

We play at the park.

The park has many things.

These are bikes.

These are benches.

Those are kites.

Those are balloons.

Stop! Please don't do that.

하루 구문

These/Those are ~. 이것들/저것들은 ~야.

주변의 여러 개의 사물들을 나타내는 표현이에요. these는 손안이나 가까운 곳, those는 상대적으로 먼 곳에 있는 사물들을 지시할 때 써요.

'자전거'를 의미하는 단어인 bicycle을 줄여서 bike라고 해요.

Let's Check

▶정답 16쪽

A 글의 내용과 일치하도록 괄호 안에서 알맞은 것을 골라 동그라미 하세요.

1. The children play at the (park / yard).

2. The park has many (spiders / things).

B 그림에 알맞은 문장을 연결하세요.

1.

   •   • These are bikes.

2.

   •   • These are benches.

3.

   •   • Those are balloons.

 A 그림에 알맞은 단어를 연결하세요.

1.

2.

3.

bike

bench

kite

B 그림에 알맞은 단어를 보기 에서 골라 문장을 완성하세요.

보기   park   stop   balloon

1.

Those are _____s.

2.

We play at the _____.

C 그림에 알맞은 문장을 완성하세요.

1.

benches.

이것들은 벤치야.

2.

bikes.

저것들은 자전거야.

D 그림에 맞게 단어를 바르게 배열하여 문장을 쓰세요.

1.

(are / balloons / These)

이것들은 풍선이야.

2.

(Those / kites / are)

저것들은 연이야.

서로 다른 이름들

Different Names

사물 ③

🎁 **재미있는 이야기로 오늘 읽을 글의 내용을 생각해 보세요.**

New Words

오늘 배울 단어를 듣고 써 보세요.

clock 벽시계, 탁상시계

watch 손목시계

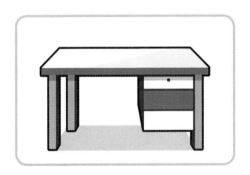

desk 책상

table 탁자

door 문

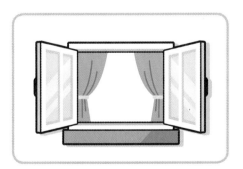

window 창문

Different Names

Q 남자아이가 서로 비교하는 사물은 각각 무엇일까요?

This is not a clock.

It is a watch.

This is not a desk.

It is a table.

That is not a door.

It is a window.

They are different.

하루 구문

This/That is not a ~. 이것/저것은 ~이 아니야.

지시하고 있는 사물이 그것이 아니라고 부정하는 표현이에요. be동사 뒤에 not을 붙이면 '~이 아니다'라는 의미가 돼요.

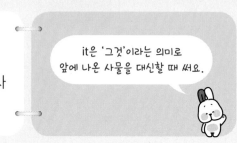
it은 '그것'이라는 의미로 앞에 나온 사물을 대신할 때 써요.

Let's Check

▶ 정답 17쪽

A 글의 내용과 일치하도록 괄호 안에서 알맞은 것을 골라 동그라미 하세요.

1. The boy has a (clock / watch).

2. A door and a window are (the same / different).

B 그림에 알맞은 문장을 연결하세요.

1.    •   • This is not a clock.

2.    •   • This is not a desk.

3.    •   • It is a window.

Let's Practice 집중 연습

A 그림에 알맞은 단어를 연결하세요.

1.

2.

3.

watch   desk   door

B 그림에 알맞은 단어를 보기 에서 골라 문장을 완성하세요.

보기   table   clock   window

1.

It is a _____.

2.

It is a _____.

C 그림에 알맞은 문장을 완성하세요.

1.

   _____ desk.

   저것은 책상이 아니야.

2.

   _____ clock.

   이것은 탁상시계가 아니야.

D 그림에 맞게 단어나 어구를 바르게 배열하여 문장을 쓰세요.

1.

   (not / is / a door / That)

   _____

   저것은 문이 아니야.

2.

   (a watch / That / is / not)

   _____

   저것은 손목시계가 아니야.

4일 Reading

상자 두 개

Two Boxes

사물 ④

🎁 재미있는 이야기로 오늘 읽을 글의 내용을 생각해 보세요.

New Words 오늘 배울 단어를 듣고 써 보세요.

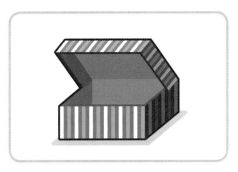

box 상자

sock 양말

small 작은

big 큰

clean 깨끗한

dirty 더러운

Two Boxes

Q 상자 안에 든 물건은 무엇일까요?

Look at the boxes.
This box is small.
That box is big.

Where are my socks?
They are in the boxes.
These socks are clean.
Those socks are dirty.

This(These)/That(Those) ~ is(are) + 형용사. 이/저 ~(들)은 …해.

사물 앞에 '이것(들)'이나 '저것(들)'이라는 지시하는 말을 넣어 사물의 특징을 설명하는 표현이에요. be동사 is나 are 다음에는 사물의 성격이나 특징을 나타내는 말을 써요.

Let's Check

▶정답 18쪽

A 글의 내용과 일치하도록 괄호 안에서 알맞은 것을 골라 동그라미 하세요.

1. The girl has (two / three) boxes.

2. The (toys / socks) are in the boxes.

B 그림에 알맞은 문장을 연결하세요.

1.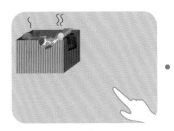

· This box is small.

2.

· These socks are clean.

3.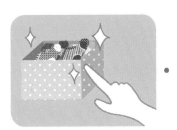

· Those socks are dirty.

Let's Practice 집중 연습

A 그림에 알맞은 단어를 연결하세요.

1.

2.

3.

small · · big · · sock

B 그림에 알맞은 단어를 보기 에서 골라 문장을 완성하세요.

보기   clean   dirty   box

1.

This _____ is small.

2.

Those socks are _____ .

C 그림에 알맞은 문장을 완성하세요.

1.

_____ _____ socks _____ dirty.

저 양말들은 더러워.

2.

_____ _____ box _____ big.

저 상자는 커.

D 그림에 맞게 단어를 바르게 배열하여 문장을 쓰세요.

1.

(small / is / box / This)

이 상자는 작아.

2.

(clean / are / These / socks)

이 양말들은 깨끗해.

짠!
Ta-Da! 1~4일 복습

재미있는 이야기로 오늘 읽을 글의 내용을 생각해 보세요.

New Words 오늘 배울 단어를 듣고 써 보세요.

crayon 크레용

pencil 연필

bat 배트

umbrella 우산

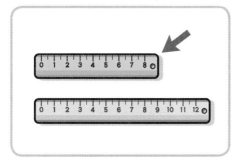

short 짧은

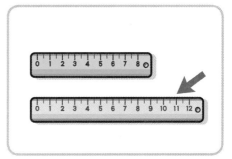

long 긴

Ta-Da!

Hi, I am Lucas.

This is not a crayon.

This is a pencil.

This pencil is short.

That is not a bat.

That is an umbrella.

That umbrella is long.

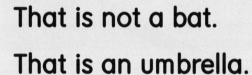

하루 구문 복습!

This/That is a ~. 이것/저것은 ~야. **These/Those are ~.** 이것들/저것들은 ~야.

This/That is not a ~. 이것/저것은 ~이 아니야.

This(These)/That(Those) ~ is(are) + 형용사. 이/저 ~(들)은 …해.

Let's Check

▶정답 19쪽

 글의 내용과 일치하도록 괄호 안에서 알맞은 것을 골라 동그라미 하세요.

1. The (pencil / pen) is not long.

2. The umbrella is (short / long).

3
주

 그림에 알맞은 문장을 연결하세요.

1.  •   • This is a pencil.

2.  •   • This pencil is short.

3.  •   • That is not a bat.

Let's Practice 집중 연습

A 그림에 알맞은 단어를 연결하세요.

1.

2.

3.

crayon · · pencil · · bat ·

B 그림에 알맞은 단어를 보기 에서 골라 문장을 완성하세요.

보기 short   umbrella   long

1.

That is an _____ .

2.

This pencil is _____ .

▶정답 19쪽

C 그림에 알맞은 문장을 완성하세요.

1.

_____ crayon.

이것은 크레용이 아니야.

2.

_____ umbrella ____ long.

저 우산은 길어.

D 그림에 맞게 단어나 어구를 바르게 배열하여 문장을 쓰세요.

1.

(is / a / This / pencil)

이것은 연필이야.

2.

(not / That / a bat / is)

저것은 배트가 아니야.

3주 누구나 100점 TEST

1 단어에 알맞은 그림을 고르세요.

box

①   ②

③  ④

2 그림에 알맞은 단어를 고르세요.

① door
② window
③ watch
④ kite

3 우리말에 맞게 빈칸에 알맞은 말을 고르세요.

저것은 컵이야.
_____ is a cup.

① This
② That
③ These
④ Those

4 그림을 보고 알맞은 문장의 기호를 쓰세요.

ⓐ This pencil is short.
ⓑ Those socks are dirty.
ⓒ This is not a pencil.

(1)  (2)

[5~6] 다음 글을 읽고, 물음에 답하세요.

> We play at the park.
>
> The park has many things.
>
> These are bikes.
>
> <u>이것들은 벤치야.</u>
>
> Those are kites.
>
> Those are balloons.
>
> Stop! Please don't do that.

5 윗글의 밑줄 친 우리말에 맞게 문장을 완성하세요.

_____ _____ benches.

6 윗글의 공원에서 볼 수 <u>없는</u> 것을 고르세요.

① 카메라

② 자전거

③ 연

④ 풍선

[7~8] 다음 글을 읽고, 물음에 답하세요.

> Look at the boxes.
>
> _____
>
> That box is big.
>
> Where are my socks?
>
> They are in the boxes.
>
> These socks are clean.
>
> Those socks are dirty.

7 그림에 맞게 윗글의 빈칸에 알맞은 문장을 완성하세요.

_____ box _____ small.

8 윗글을 읽고 알 수 <u>없는</u> 것을 고르세요.

① 멀리 있는 상자의 크기

② 가까이 있는 상자에 든 물건

③ 가까이 있는 양말의 크기

④ 멀리 있는 양말의 상태

🧩 배운 내용을 떠올리며 말판 놀이를 해 보세요.

2. 그림에 알맞은 단어를 완성하세요.

☐ h ☐ rt

3. 그림과 단어가 일치하면 ○ 표,
   일치하지 않으면 × 표 하세요.

dirty ☐

1. 그림을 보고 알맞은 단어에 동그라미
   하세요.

cup   doll

4. 단어를 읽고 알맞은 우리말 뜻과
   연결하세요.

small ·   · 손목시계

watch ·   · 작은

5. 그림을 보고 알파벳을 바
   배열하여 단어를 쓰세요.

eab

→ _____

START

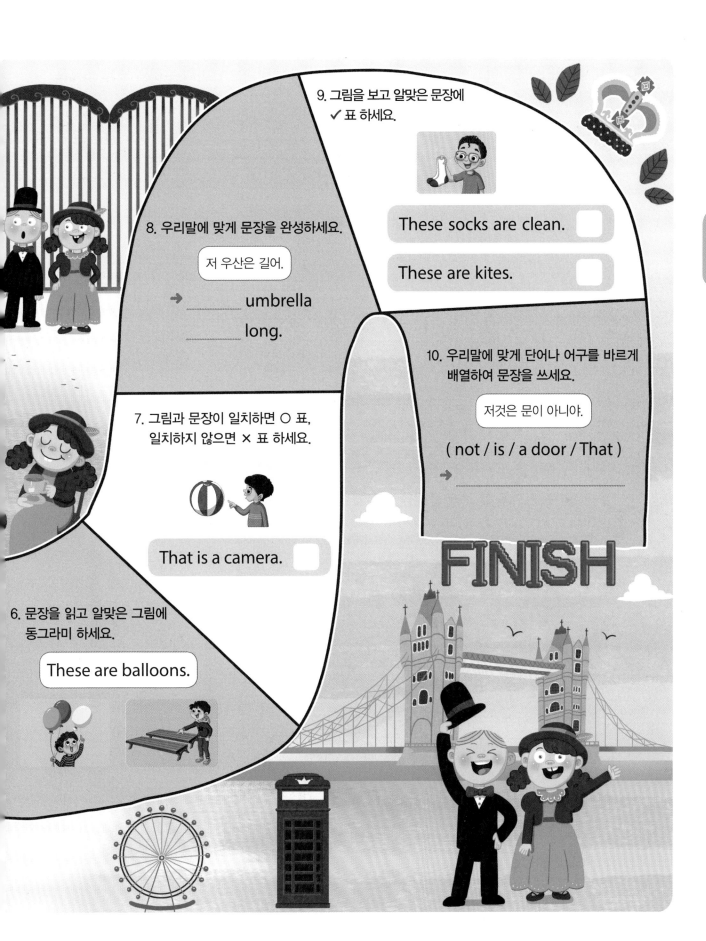

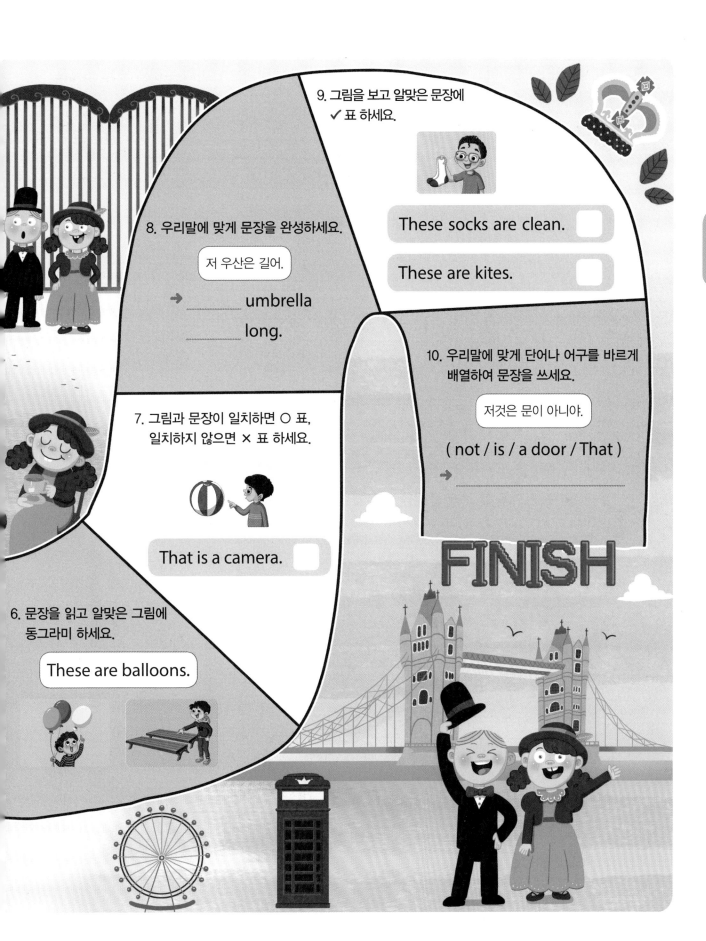

9. 그림을 보고 알맞은 문장에
✔ 표 하세요.

These socks are clean. ☐

These are kites. ☐

8. 우리말에 맞게 문장을 완성하세요.

저 우산은 길어.

→ _____ umbrella
_____ long.

10. 우리말에 맞게 단어나 어구를 바르게
배열하여 문장을 쓰세요.

저것은 문이 아니야.

(not / is / a door / That)

→ _____

7. 그림과 문장이 일치하면 ○ 표,
일치하지 않으면 × 표 하세요.

That is a camera. ☐

FINISH

6. 문장을 읽고 알맞은 그림에
동그라미 하세요.

These are balloons.

A 책책이가 노래를 하고 있어요. 단서 를 보고 악보가 나타내는 단어와 우리말 뜻을 쓰세요.

a b e i k l

1.

단어: _____

뜻 : _____

2.

단어: _____

뜻 : _____

B 캐미가 친구들과 그림을 보며 대화하고 있어요. 그림과 일치하지 <u>않는</u> 말을 한 사람의 이름을 쓰고, 그림에 맞게 문장을 바르게 고쳐 쓰세요.

테드: These are not dolls.

캐미: These are not bats.

에이미: These socks are dirty.

1. 이름: _____

2. 알맞은 문장: These _____ _____ _____.

C 서로 다른 부분이 가려진 카드 두 장이 있어요. 두 카드를 겹쳐서 나온 알파벳을 조합하여 단서 에 알맞은 단어를 만들어 문장을 완성한 후, 문장의 우리말 뜻을 쓰세요.

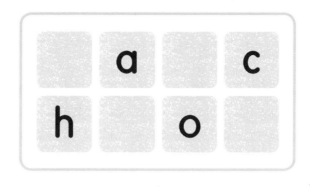

+

1.

문장: This is a _____.

뜻 : _____

2.

문장: This is a _____.

뜻 : _____

Step A

그림 단서를 보고 보기 에서 알맞은 단어를 골라 퍼즐을 완성하세요.

보기   short   crayon   bat   pencil

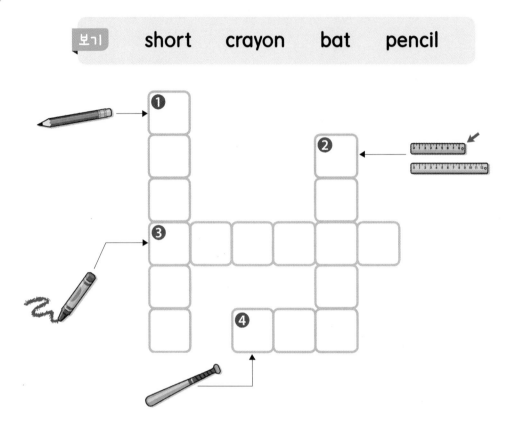

Step B

Step A 의 단어를 사용하여 글을 완성하세요.

Hi, I am Lucas.

This is not a _____.

This is a _____.

This pencil is _____.

That is not a _____.

That is an umbrella.

That umbrella is long.

Step C

단서 를 보고 암호를 풀어 문장을 쓰세요.

단서   ★ = is   ※ = not   ♥ = That   ♠ = This

1.   ♠ ★ ※ a crayon.

_____
- -
_____

이것은 크레용이 아니야.

2.   ♥ umbrella ★ long.

_____
- -
_____

저 우산은 길어.

3
주

창의 서술형

여러분이 가지고 있는 물건들을 비교하며 묘사하는 글을 완성하세요.

Hi, I am _____.

This is not a(n) _____.

This is a(n) _____.

This _____ is _____.

That is not a(n) _____.

That is a(n) _____.

That _____ is _____.

재미있는 이야기로 이번 주에 공부할 내용을 알아보세요.

Numbers 숫자

1일 How Many Candies?　　**2**일 How Old Are You?

3일 Too Expensive!　　**4**일 They Are Cheap　　**5**일 Seven! Seven!

A

◉ 2년 후 여러분의 나이에 해당하는 숫자에 동그라미 해 보세요.

I am ~ years old. 나는 ~ 살이야.

11
eleven

12
twelve

13
thirteen

15
fifteen

16
sixteen

17
seventeen

B

◉ 다음 가격표 안의 숫자를 모두 더한 합을 써 보세요.

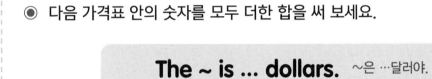

The ~ is ... dollars. ~은 ...달러야.

$20 — twenty

$30 — thirty

$40 — forty

$50 — fifty

$70 — seventy

합: $ ☐

답 ▶ 210

사탕 몇 개?

How Many Candies?

개수

📦 재미있는 이야기로 오늘 읽을 글의 내용을 생각해 보세요.

New Words 오늘 배울 단어를 듣고 써 보세요.

one 1, 하나

two 2, 둘

4
주

three 3, 셋

five 5, 다섯

eight 8, 여덟

candy 사탕

How Many Candies?

Q 아이들은 사탕을 몇 개씩 가지고 있을까요?

How many candies do you have?

I have two candies.

I have three candies.

I have five candies.

I have eight candies.

I have one candy.

하루 구문

I have + 숫자 + 명사. 나는 ~을 … 개 가지고 있어.

가지고 있는 물건의 개수를 나타내는 표현이에요. 물건 앞에 숫자를 나타내는 표현을 써서 물건이 몇 개인지 말할 수 있어요. 숫자 다음에 오는 명사는 두 개 이상일 경우 복수 형태로 써요.

핼러윈 때 Trick or treat. (과자를 안 주면 장난칠 거예요.)라는 말로 사탕을 달라고 해요.

Let's Check

▶ 정답 22쪽

A 글의 내용과 일치하도록 괄호 안에서 알맞은 것을 골라 동그라미 하세요.

1. The children have (eggs / candies).

2. (Two / Eight) candies are in the boy's hat.

B 그림에 알맞은 문장을 연결하세요.

1.

   •   • I have two candies.

2.

   •   • I have five candies.

3.

   •   • I have three candies.

Let's Practice 집중 연습

A 그림에 알맞은 단어를 연결하세요.

1.

2.

3.

two　　　　candy　　　　eight

B 그림에 알맞은 단어를 보기 에서 골라 문장을 완성하세요.

보기　　three　　five　　one

1.

I have _____ candies.

2.

I have _____ candies.

▶ 정답 22쪽

C 그림에 알맞은 문장을 완성하세요.

1.

I have _____ .

나는 사탕이 한 개 있어.

2.

I have _____ .

나는 사탕이 다섯 개 있어.

D 그림에 맞게 단어를 바르게 배열하여 문장을 쓰세요.

1.

(have / candies / eight / I)

_____

나는 사탕이 여덟 개 있어.

2.

(two / have / I / candies)

_____

나는 사탕이 두 개 있어.

똑똑한 하루

2일 Reading

너는 몇 살이니?

나이

How Old Are You?

📦 재미있는 이야기로 오늘 읽을 글의 내용을 생각해 보세요.

New Words　오늘 배울 단어를 듣고 써 보세요.

eleven 11, 열하나

twelve 12, 열둘

thirteen 13, 열셋

fifteen 15, 열다섯

sixteen 16, 열여섯

movie 영화

How Old Are You?

Q 영화를 보러 온 아이들은 각각 몇 살일까요?

It is a movie night.

I am twelve years old.

I am thirteen years old.

I am fifteen years old.

I am sixteen years old.

No! I am eleven years old.

하루 구문

I am ~ years old. 나는 ~ 살이야.

자신의 나이를 말하는 표현이에요. 상대방의 나이를 물어볼 때는
How old are you?라고 말해요.

한국식 나이는 해가 지나면
나이를 먹지만, 다른 나라에서는
자기 생일이 지나야 나이를 먹어요.

Let's Check

▶정답 23쪽

A 글의 내용과 일치하도록 괄호 안에서 알맞은 것을 골라 동그라미 하세요.

1. The girl is (eleven / twelve) years old.

2. The girl (can / can't) see the movie.

B 그림에 알맞은 문장을 연결하세요.

1.

It is a movie night.

2.

I am thirteen years old.

3.

I am sixteen years old.

Let's Practice 집중 연습

 A 그림에 알맞은 단어를 연결하세요.

1.

2.

3.

eleven   twelve   thirteen

B 그림에 알맞은 단어를 보기 에서 골라 문장을 완성하세요.

보기   sixteen   fifteen   movie

1.

It is a _____ night.

2.

I am _____ years old.

▶ 정답 23쪽

C 그림에 알맞은 문장을 완성하세요.

1.

I am _____ .

나는 열두 살이야.

2.

I am _____ .

나는 열세 살이야.

D 그림에 맞게 단어나 어구를 바르게 배열하여 문장을 쓰세요.

1.

(am / I / years old / eleven)

_____

나는 열한 살이야.

2.

(old / fifteen / years / I am)

_____

나는 열다섯 살이야.

너무 비싸!

Too Expensive!

가격 ①

📦 **재미있는 이야기로 오늘 읽을 글의 내용을 생각해 보세요.**

New Words 오늘 배울 단어를 듣고 써 보세요.

twenty 20, 스물

thirty 30, 서른

forty 40, 마흔

fifty 50, 쉰

eighty 80, 여든

expensive 값이 비싼

Too Expensive!

Q 가게 안에 있는 물건 중 어떤 것이 가장 비쌀까요?

How much is it?

The ball is twenty dollars.
The toy is thirty dollars.
The bag is forty dollars.
The camera is fifty dollars.
The watch is eighty dollars.

Too expensive!

$ 30

$ 20

$ 40

$50

$80

하루 구문

The ~ is ... dollars. ~은 …달러야.

물건의 가격을 나타내는 표현이에요. 가격을 물어볼 때는
How much is it?라고 말해요.

미국의 화폐는 달러이며
기호로는 $를 써요.

Let's Check

▶정답 24쪽

 글의 내용과 일치하도록 괄호 안에서 알맞은 것을 골라 동그라미 하세요.

1. The ball is (twenty / thirty) dollars.

2. The watch is too (small / expensive).

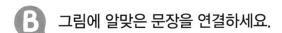 그림에 알맞은 문장을 연결하세요.

1.

• How much is it?

2.

• The bag is forty dollars.

3.

• The camera is fifty dollars.

Let's Practice 집중 연습

 그림에 알맞은 단어를 연결하세요.

1.

2.

3.

twenty   forty   eighty

B 그림에 알맞은 단어를 보기 에서 골라 문장을 완성하세요.

보기   expensive   fifty   thirty

1.

The toy is _____ dollars.

2.

Too _____ !

C 그림에 알맞은 문장을 완성하세요.

1.

$ 20

The ball is _____ .

그 공은 20달러야.

2.

$ 80

The watch is _____ .

그 손목시계는 80달러야.

D 그림에 맞게 단어나 어구를 바르게 배열하여 문장을 쓰세요.

1.

$ 40

(forty / The bag / dollars / is)

_____

그 가방은 40달러야.

2.

$ 50

(is / fifty / The camera / dollars)

_____

그 카메라는 50달러야.

똑똑한 하루

4일
Reading

그것들은 값이 싸

They Are Cheap

가격 ②

📦 재미있는 이야기로 오늘 읽을 글의 내용을 생각해 보세요.

New Words 오늘 배울 단어를 듣고 써 보세요.

hundred 100, 백

thousand 1000, 천

chopsticks 젓가락

scissors 가위

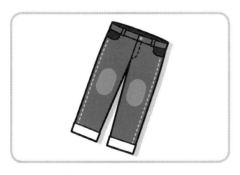

jeans 청바지

cheap 값이 싼

They Are Cheap

Q 남자아이가 팔고 있는 물건들의 가격은 얼마일까요?

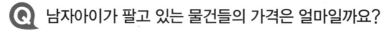

Come here!

These chopsticks are nine hundred won.

These scissors are one thousand won.

These jeans are four thousand won.

These socks are six hundred won.

They are all cheap.

하루 구문

These ~ are ... won. 이 ~(들)은 …원이야.

짝을 이루는 물건의 가격을 말하는 표현이에요. 가위, 청바지, 양말처럼
짝을 이루는 물건을 나타내는 명사는 항상 복수 형태로 써요.

우리나라의 화폐단위 원(₩)은
영어로 won이라고 표기해요.

Let's Check

▶ 정답 25쪽

 글의 내용과 일치하도록 괄호 안에서 알맞은 것을 골라 동그라미 하세요.

1. The jeans are four (hundred / thousand) won.

2. The socks are (cheap / expensive).

 그림에 알맞은 문장을 연결하세요.

1.

These chopsticks are nine hundred won.

2.

These scissors are one thousand won.

3.

These socks are six hundred won.

Let's Practice 집중 연습

A 그림에 알맞은 단어를 연결하세요.

1.

2.

3.

hundred

thousand

jeans

B 그림에 알맞은 단어를 보기 에서 골라 문장을 완성하세요.

보기   scissors   cheap   chopsticks

1.

These _____ are nine hundred won.

2.
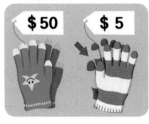

They are _____ .

C 그림에 알맞은 문장을 완성하세요.

1.

These are _____ won.

이것들은 600원이야.

2.

These are _____ won.

이것들은 4,000원이야.

4
주

D 그림에 맞게 단어나 어구를 바르게 배열하여 문장을 쓰세요.

1.

(nine hundred won / are / These / chopsticks)

_____

이 젓가락은 900원이야.

2.

(are / thousand won / one / These scissors)

_____

이 가위는 1,000원이야.

Seven! Seven! 1~4일 복습

🎁 재미있는 이야기로 오늘 읽을 글의 내용을 생각해 보세요.

New Words 오늘 배울 단어를 듣고 써 보세요.

seven 7, 일곱

seventeen 17, 열일곱

seventy 70, 일흔

glass 유리잔

skates 스케이트

boat 보트

4
주

Seven! Seven!

Q 거북이가 가장 좋아하는 숫자는 무엇일까요?

My nickname is Seven.

I am seven hundred years old.

My favorite number is seven.

The glass is seven dollars.

These skates are seventeen dollars.

The boat is seventy dollars.

하루 구문 복습!

I have + 숫자 + 명사.
나는 ~을 … 개 가지고 있어.

The ~ is … dollars.
~은 … 달러야.

I am ~ years old.
나는 ~ 살이야.

These ~ are … won.
이 ~(들)은 … 원이야.

Let's Check

▶정답 26쪽

 문장을 읽고 글의 내용과 일치하면 , 일치하지 않으면 에 동그라미 하세요.

1. The turtle's nickname is Seven.

2. The turtle's favorite number is six.

3. The glass is seven dollars.

4
주

 그림에 알맞은 문장을 연결하세요.

1.

I am seven hundred years old.

2.

These skates are seventeen dollars.

3.

The boat is seventy dollars.

Let's Practice 집중 연습

 그림에 알맞은 단어를 연결하세요.

1.

2.

3.

glass

skates

boat

B 그림에 알맞은 단어를 보기 에서 골라 문장을 완성하세요.

보기   seventy   seven   seventeen

1.

My favorite number is _____ .

2.

The boat is _____ dollars.

▶정답 26쪽

C 그림에 알맞은 문장을 완성하세요.

1.

The glass is .

그 유리잔은 7달러야.

2.

The boat is .

그 보트는 70달러야.

4
주

D 그림에 맞게 단어나 어구를 바르게 배열하여 문장을 쓰세요.

1.

(are / dollars / These skates / seventeen)

이 스케이트는 17달러야.

2.

(seven / hundred / years old / I am)

나는 칠백 살이야.

1 단어에 알맞은 그림을 고르세요.

five

①   ②

③   ④

2 그림에 알맞은 단어를 고르세요.

① six
② seven
③ seventeen
④ seventy

3 우리말에 맞게 빈칸에 알맞은 말을 고르세요.

나는 열세 살이야.
I am thirteen _____.

① hundred dollars
② thousand won
③ year old
④ years old

4 그림을 보고 알맞은 문장의 기호를 쓰세요.

ⓐ The bag is forty dollars.
ⓑ I have one candy.
ⓒ These socks are six hundred won.

(1)

(2)

[5~6] 다음 글을 읽고, 물음에 답하세요.

> How much is it?
>
> The ball is twenty dollars.
>
> <u>장난감은 30달러야.</u>
>
> The bag is forty dollars.
>
> The camera is fifty dollars.
>
> The watch is eighty dollars.
>
> Too expensive!

5 윗글의 밑줄 친 우리말에 맞게 문장을 완성하세요.

> The toy is _____ _____.

6 윗글의 내용과 일치하지 <u>않는</u> 것을 고르세요.

① 가방은 40달러이다.

② 손목시계는 80달러이다.

③ 가장 싼 물건은 공이다.

④ 가장 비싼 물건은 카메라이다.

[7~8] 다음 글을 읽고, 물음에 답하세요.

> Come here!
>
> These chopsticks are nine hundred won.
>
> _____
>
> These jeans are four thousand won.
>
> These socks are six hundred won.
>
> They are all cheap.

7 그림에 맞게 윗글의 빈칸에 알맞은 문장을 완성하세요.

> These scissors _____ _____ _____ won.

8 물건의 가격이 높은 순으로 바르게 배열한 것을 고르세요.

① 젓가락 – 청바지 – 양말

② 양말 – 청바지 – 젓가락

③ 청바지 – 양말 – 젓가락

④ 청바지 – 젓가락 – 양말

배운 내용을 떠올리며 말판 놀이를 해 보세요.

START

1. 그림을 보고 알맞은 단어에 동그라미 하세요.

30

thirty   thirteen

2. 그림에 알맞은 단어를 완성하세요.

☐ la ☐ s

3. 그림과 단어가 일치하면 ○ 표, 일치하지 않으면 × 표 하세요.

70

seventeen ☐

4. 단어를 읽고 알맞은 우리말 뜻과 연결하세요.

hundred •   • 값이 싼

cheap •   • 100, 백

정답 27쪽

7. 그림과 문장이 일치하면 ○ 표, 일치하지 않으면 × 표 하세요.

I am twelve years old. ☐

8. 그림을 보고 알맞은 문장에 ✓ 표 하세요.

$50

The camera is fifty dollars. ☐

The bag is forty dollars. ☐

9. 우리말에 맞게 단어나 어구를 바르게 배열하여 문장을 쓰세요.

그 보트는 70달러야.

(dollars / seventy / The boat / is)

→ _____

6. 문장을 읽고 알맞은 그림에 동그라미 하세요.

I have two candies.

10. 우리말에 맞게 문장을 완성하세요.

이 청바지는 4,000원이야.

→ These jeans _____ _____ _____ won.

5. 그림을 보고 알파벳을 바르게 배열하여 단어를 쓰세요.

16

txesnie

→ _____

FINISH

A 상점에 음료수가 진열되어 있어요. 색깔이 같은 음료수의 알파벳을 조합해서 나온 단어 2개와 각 단어의 우리말 뜻을 쓰세요.

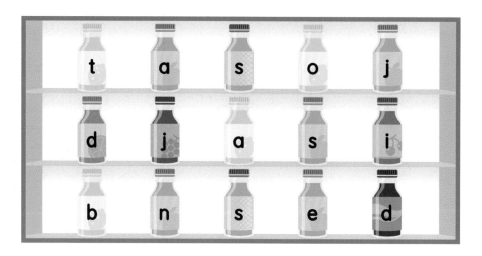

1.

단어: ▢ ▢ ▢ ▢

뜻 : ▢

2.

단어: ▢ ▢ ▢ ▢ ▢

뜻 : ▢

B 하은이의 가족은 모두 네 명이에요. 단서 를 읽고 네 사람의 나이를 더한 숫자를 영어로 쓰세요.

> 단서
> 1. 아빠는 39살이에요.
> 2. 엄마는 하은이보다 28살 더 많아요.
> 3. 하은이 아빠의 나이는 언니 나이의 세 배예요.
> 4. 5년 후 하은이의 나이는 15살이에요.

▢

C 책책이가 알뜰시장에서 물건 2개를 샀어요. 단서 를 보고 물건의 바코드 번호가 나타내는 단어로 문장을 완성하세요.

단서

0	1	2	3	4	5	6
e	g	h	i	n	r	t

1.

0 3 1 2 6

The glass is _____ dollars.

2.

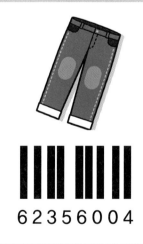

6 2 3 5 6 0 0 4

The jeans are _____ dollars.

Step
A

그림 단서를 보고 보기 에서 알맞은 단어를 골라 퍼즐을 완성하세요.

보기   seventy   boat   seven   glass

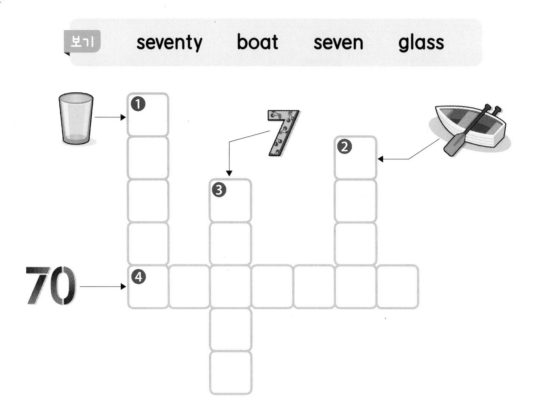

Step
B

Step A 의 단어를 사용하여 글을 완성하세요.

My nickname is Seven.

I am 7_____ hundred years old.

My favorite number is seven.

The 🥛_____ is seven dollars.

These skates are seventeen dollars.

The 🛶_____ is 70_____ dollars.

Step C

단서 를 보고 암호를 풀어 문장을 쓰세요.

단서   ♠ = seventeen   ♥ = is   ※ = are   ★ = seventy

1.   These skates ※ ♠ dollars.

_____

이 스케이트는 17달러야.

2.   The boat ♥ ★ dollars.

_____

그 보트는 70달러야.

창의 서술형

✎ 여러분이 좋아하는 숫자와 가지고 있는 물건 가격을 나타내는 글을 완성하세요.

My nickname is _____.

I am _____ years old.

My favorite number is _____.

The _____ is _____ hundred won.

These _____ are _____ thousand won.

The _____ is _____ thousand won.

1주 1일

☐ the U.S. 미국	☐ ten 10, 열
☐ third 세 번째의	☐ grade 학년
☐ nice 좋은	☐ meet 만나다

1주 2일

☐ pizza 피자	☐ bread 빵
☐ salad 샐러드	☐ chicken 치킨
☐ food 음식	☐ like 좋아하다

1주 3일

☐ notebook 공책	☐ pencil case 필통
☐ eraser 지우개	☐ bag 가방
☐ have 가지다	☐ egg 달걀

1주 4일

☐ run 달리다	☐ swim 수영하다
☐ cook 요리하다	☐ draw 그리다
☐ jump 점프하다	☐ high 높이

1주 5일

☐ name 이름	☐ Canada 캐나다
☐ steak 스테이크	☐ dog 개
☐ cat 고양이	☐ book 책

2주 1일

☐ mom 엄마	☐ dad 아빠
☐ sister 언니, 누나, 여동생	☐ brother 오빠, 형, 남동생
☐ family 가족	☐ okay 괜찮은

2주 2일

☐ tall 키가 큰	☐ kind 친절한
☐ pretty 예쁜	☐ funny 재미있는
☐ friend 친구	☐ together 함께

2주 3일

☐ play 놀다	☐ read 읽다
☐ eat 먹다	☐ sleep 자다
☐ twin 쌍둥이	☐ same 똑같은

2주 4일

☐ dance 춤추다	☐ dancer 댄서
☐ sing 노래하다	☐ singer 가수
☐ paint 그리다	☐ painter 화가

2주 5일

☐ grandma 할머니	☐ grandpa 할아버지
☐ strong 힘이 센	☐ build 짓다
☐ house 집	☐ love 사랑하다

Words List

3주 1일

- [ ] doll 인형
- [ ] ball 공
- [ ] camera 카메라
- [ ] cup 컵
- [ ] toy 장난감
- [ ] spider 거미

3주 2일

- [ ] bike 자전거
- [ ] bench 벤치
- [ ] kite 연
- [ ] balloon 풍선
- [ ] park 공원
- [ ] stop 멈추다

3주 3일

- [ ] clock 벽시계, 탁상시계
- [ ] watch 손목시계
- [ ] desk 책상
- [ ] table 탁자
- [ ] door 문
- [ ] window 창문

3주 4일

- [ ] box 상자
- [ ] sock 양말
- [ ] small 작은
- [ ] big 큰
- [ ] clean 깨끗한
- [ ] dirty 더러운

3주 5일

- [ ] crayon 크레용
- [ ] pencil 연필
- [ ] bat 배트
- [ ] umbrella 우산
- [ ] short 짧은
- [ ] long 긴

4주 1일

- [ ] **one**
  1, 하나
- [ ] **two**
  2, 둘
- [ ] **three**
  3, 셋
- [ ] **five**
  5, 다섯
- [ ] **eight**
  8, 여덟
- [ ] **candy**
  사탕

4주 2일

- [ ] **eleven**
  11, 열하나
- [ ] **twelve**
  12, 열둘
- [ ] **thirteen**
  13, 열셋
- [ ] **fifteen**
  15, 열다섯
- [ ] **sixteen**
  16, 열여섯
- [ ] **movie**
  영화

4주 3일

- [ ] **twenty**
  20, 스물
- [ ] **thirty**
  30, 서른
- [ ] **forty**
  40, 마흔
- [ ] **fifty**
  50, 쉰
- [ ] **eighty**
  80, 여든
- [ ] **expensive**
  값이 비싼

4주 4일

- [ ] **hundred**
  100, 백
- [ ] **thousand**
  1000, 천
- [ ] **chopsticks**
  젓가락
- [ ] **scissors**
  가위
- [ ] **jeans**
  청바지
- [ ] **cheap**
  값이 싼

4주 5일

- [ ] **seven**
  7, 일곱
- [ ] **seventeen**
  17, 열일곱
- [ ] **seventy**
  70, 일흔
- [ ] **glass**
  유리잔
- [ ] **skates**
  스케이트
- [ ] **boat**
  보트

memo

친절한 말은 아주 짧기 때문에
말하기가 쉽다.

하지만 그 말의 메아리는 무궁무진하게
울려 퍼지는 법이다.

Kind words can be short and easy to speak,
but their echoes are truly endless.

테레사 수녀

친절한 말, 따뜻한 말 한마디는 누군가에게 커다란 힘이 될 수도 있어요.
나쁜 말 대신 좋은 말을 하게 되면 언젠가 나에게 보답으로 돌아옵니다.
앞으로 나쁘고 거친 말 대신 좋고 예쁜 말만 쓰기로 우리 약속해요!

뭘 좋아할지 몰라 다 준비했어♥
전과목 교재

전과목 시리즈 교재

●우등생 해법시리즈
– 국어/수학	1~6학년, 학기용
– 사회/과학	3~6학년, 학기용
– 봄·여름/가을·겨울	1~2학년, 학기용
– SET(전과목/국수, 국사과)	1~6학년, 학기용

●똑똑한 하루 시리즈
– 똑똑한 하루 독해	예비초~6학년, 총 14권
– 똑똑한 하루 글쓰기	예비초~6학년, 총 14권
– 똑똑한 하루 어휘	예비초~6학년, 총 14권
– 똑똑한 하루 수학	1~6학년, 학기용
– 똑똑한 하루 계산	예비초~6학년, 총 14권
– 똑똑한 하루 사고력	1~6학년, 학기용
– 똑똑한 하루 도형	예비초~6학년, 단계별
– 똑똑한 하루 사회/과학	3~6학년, 학기용
– 똑똑한 하루 봄/여름/가을/겨울	1~2학년, 총 8권
– 똑똑한 하루 안전	1~2학년, 총 2권
– 똑똑한 하루 Voca	3~6학년, 학기용
– 똑똑한 하루 Reading	초3~초6, 학기용
– 똑똑한 하루 Grammar	초3~초6, 학기용
– 똑똑한 하루 Phonics	예비초~초등, 총 8권

●초등 문해력 독해가 힘이다
– 비문학편	3~6학년, 단계별

영어 교재

●초등영어 교과서 시리즈
파닉스(1~4단계)	3~6학년, 학년용
회화(입문1~2, 1~6단계)	3~6학년, 학기용
영단어(1~4단계)	3~6학년, 학년용

●셀파 English(어휘/회화/문법)   3~6학년

●Reading Farm(Level 1~4)   3~6학년

●Grammar Town(Level 1~4)   3~6학년

●LOOK BOOK 영단어   3~6학년, 단행본

●원서 읽는 LOOK BOOK 영단어   3~6학년, 단행본

●멘토 Story Words   2~6학년, 총 6권

똑 똑 한
하루
Reading

정답

매일매일
쌓이는
영어 기초력

1A
3학년 영어

천재교육

1주 1일

1일 Reading

I Am Max 나는 맥스야

Q 남자아이는 무엇을 소개하고 있을까요?
자신의 이름, 국적, 나이, 학년

Max Brown

Hi, I am Max Brown. 안녕, 나는 맥스야.
I am from the U.S. 나는 미국 사람이야.
I am ten years old. 나는 열 살이야.
I am in the third grade. 나는 3학년이야.
Nice to meet you! 만나서 반가워!

ENGLISH ★★★★★ 3rd Grade

하루 구문

I am ~. 나는 ~야.
자신에 대해 말하는 표현이에요. '나'를 나타내는 I는 항상 대문자로
써요. 이때 I am은 I'm으로 줄여 쓸 수 있어요.

우리는 성→이름 순으로 쓰지만
서양에서는 이름 다음에 성을 써요.

14 • 똑똑한 하루 Reading

Let's Check

▶ 정답 1쪽

A 문장을 읽고 글의 내용과 일치하면 T, 일치하지 않으면 F에 동그라미 하세요.

1. Max is from Korea. T (F)
2. Max is ten years old. (T) F

B 그림에 알맞은 문장을 연결하세요.

1. [3rd] ——— I am in the third grade.
2. [깃발] ⨯ I am ten years old.
3. [케이크] ⨯ I am from the U.S.

Level 1 A • 15

1일 Reading

Let's Practice 집중 연습

▶ 정답 1쪽

A 그림에 알맞은 단어를 연결하세요.

1. [악수] 2. [등교] 3. [깃발]

third ⨯ meet | the U.S.

B 그림에 알맞은 단어를 보기 에서 골라 문장을 완성하세요.

보기 grade   ten   nice

1. [케이크] I am __ten__ years old.

2. [3학년] I am in the third __grade__.

C 그림에 알맞은 문장을 완성하세요.

1. [Kate Smith] **I am Kate Smith.**
나는 케이트 스미스야.

2. [자유의 여신상] **I am from the U.S.**
나는 미국 사람이야.

D 그림에 맞게 단어나 어구를 바르게 배열하여 문장을 쓰세요.

1. [3학년] (the third grade / am / in / I)
I am in the third grade.
나는 3학년이야.

2. [파티모자] (ten / I / years old / am)
I am ten years old.
나는 열 살이야.

16 • 똑똑한 하루 Reading

Level 1 A • 17

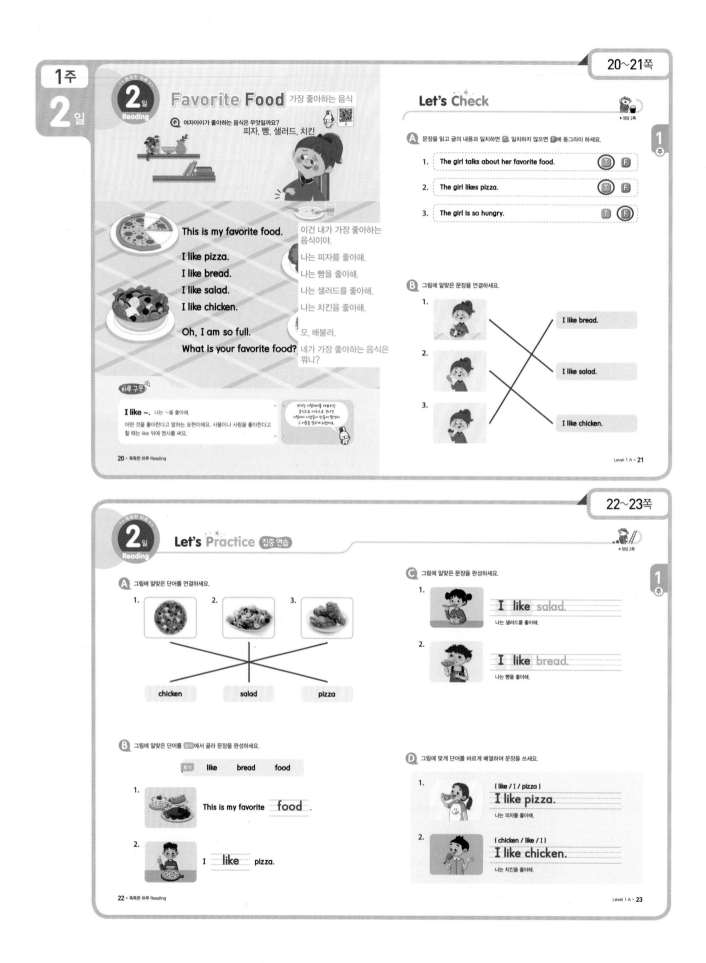

26~27쪽

In My Bag 내 가방 속에

Q 남자아이의 가방에는 무엇이 들어있을까요?
공책, 필통, 지우개, 달걀

Here is my bag.	여기 내 가방이 있어.
I have a notebook.	나는 공책이 있어.
I have a pencil case.	나는 필통이 있어.
I have an eraser.	나는 지우개가 있어.
Look! I have an egg, too.	봐! 나는 달걀도 있어.
Oh, no!	오, 이런!

하루 구문

I have a/an ~. 나는 ~을 가지고 있어.

무엇을 가지고 있는지 말하는 표현이에요. 뒤에 오는 명사의 첫소리가
모음 a, e, i, o, u로 발음되는 경우 a 대신 an을 써요.

> 우리가 흔히 노트북이라고 부르는
> 컴퓨터는 영어로 laptop 혹은
> notebook computer라고 해요.

Let's Check

A 글의 내용과 일치하도록 괄호 안에서 알맞은 것을 골라 동그라미 하세요.

1. The boy has a (book / (notebook)).

2. ((An egg) / A cat) is in the boy's bag.

B 그림에 알맞은 문장을 연결하세요.

1. — I have an egg.
2. — I have a pencil case.
3. — I have an eraser.

28~29쪽

3일 Reading

Let's Practice 집중 연습

A 그림에 알맞은 단어를 연결하세요.

1. 2. 3.

egg   pencil case   eraser

B 그림에 알맞은 단어를 보기에서 골라 문장을 완성하세요.

보기: notebook   bag   have

1. Here is my **bag** .

2. I **have** an eraser.

C 그림에 알맞은 문장을 완성하세요.

1. I have an egg.
나는 달걀이 있어.

2. I have a pencil case.
나는 필통이 있어.

D 그림에 맞게 단어를 바르게 배열하여 문장을 쓰세요.

1. (eraser / I have / an)
I have an eraser.
나는 지우개가 있어.

2. (have / a / I / notebook)
I have a notebook.
나는 공책이 있어.

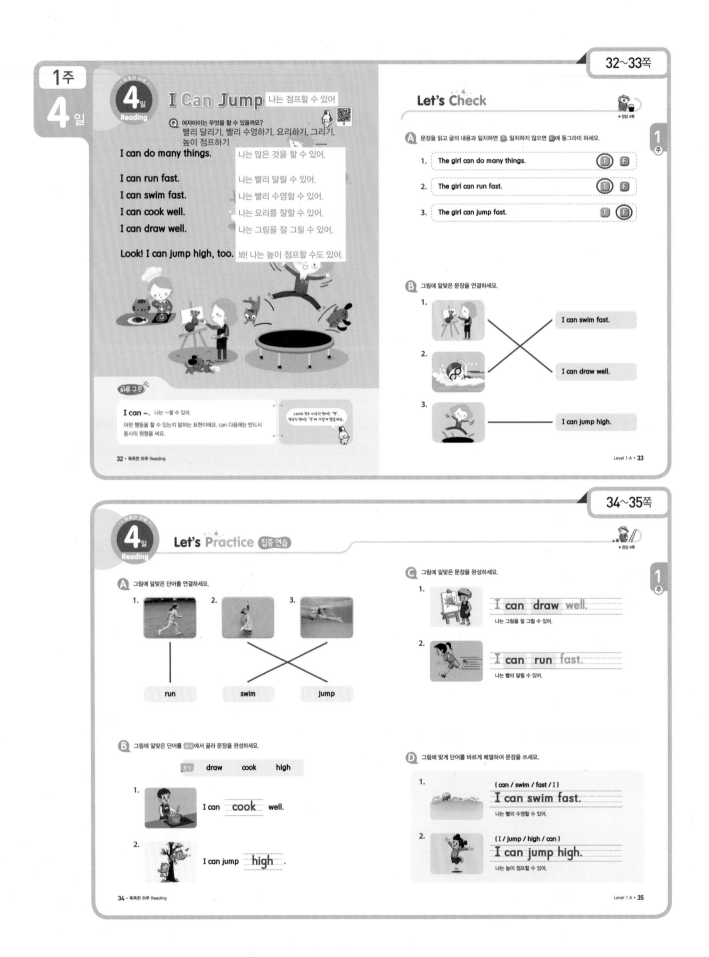

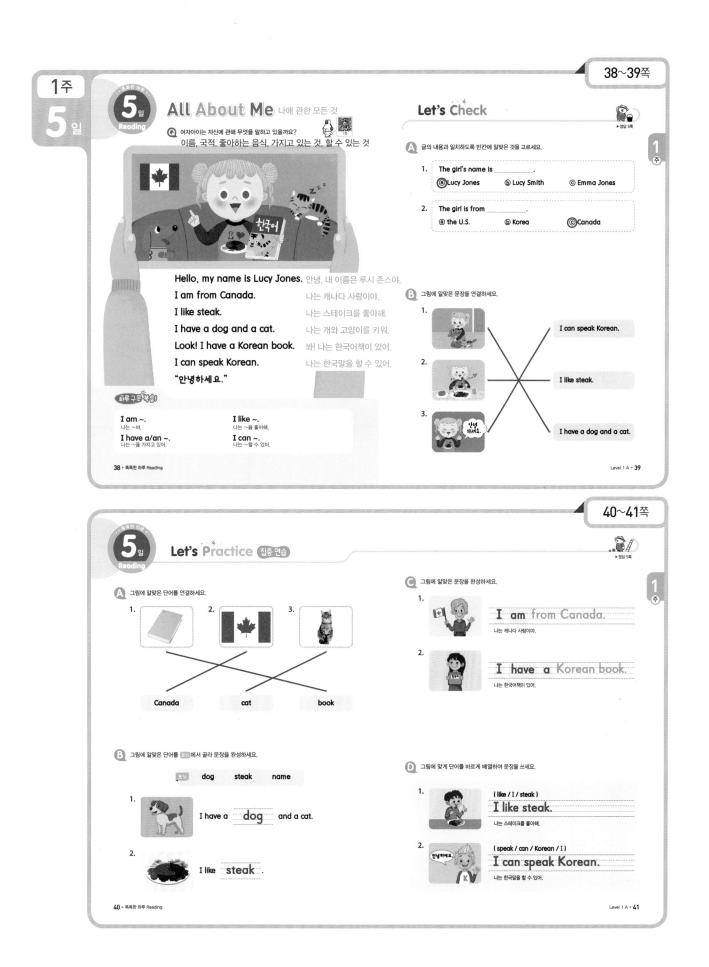

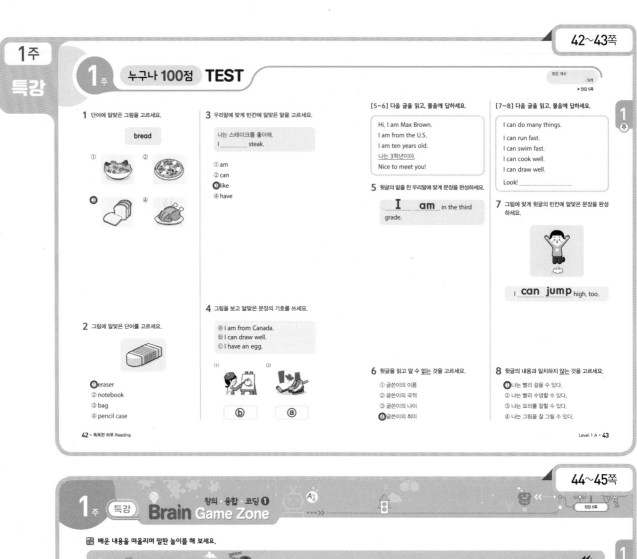

1주
특강

1주 누구나 100점 TEST

맞은 개수 /8개
▶ 정답 6쪽

1 단어에 알맞은 그림을 고르세요.

bread

① ② ③ ④

2 그림에 알맞은 단어를 고르세요.

❶ eraser
② notebook
③ bag
④ pencil case

3 우리말에 맞게 빈칸에 알맞은 말을 고르세요.

나는 스테이크를 좋아해.
I _____ steak.

① am
② can
❸ like
④ have

4 그림을 보고 알맞은 문장의 기호를 쓰세요.

ⓐ I am from Canada.
ⓑ I can draw well.
ⓒ I have an egg.

(1) ⓑ (2) ⓐ

[5~6] 다음 글을 읽고, 물음에 답하세요.

Hi, I am Max Brown.
I am from the U.S.
I am ten years old.
나는 3학년이야.
Nice to meet you!

5 윗글의 밑줄 친 우리말에 맞게 문장을 완성하세요.

I am in the third grade.

6 윗글을 읽고 알 수 없는 것을 고르세요.

① 글쓴이의 이름
② 글쓴이의 국적
③ 글쓴이의 나이
❹ 글쓴이의 취미

[7~8] 다음 글을 읽고, 물음에 답하세요.

I can do many things.
I can run fast.
I can swim fast.
I can cook well.
I can draw well.
Look! _____

7 그림에 맞게 윗글의 빈칸에 알맞은 문장을 완성하세요.

I **can jump** high, too.

8 윗글의 내용과 일치하지 않는 것을 고르세요.

❶ 나는 빨리 걸을 수 있다.
② 나는 빨리 수영할 수 있다.
③ 나는 요리를 잘할 수 있다.
④ 나는 그림을 잘 그릴 수 있다.

1주 특강

Brain Game Zone 창의·융합·코딩 ❶

배운 내용을 떠올리며 말판 놀이를 해 보세요.

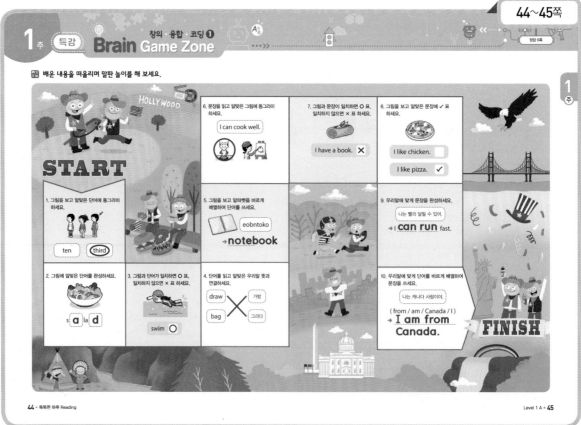

1주 특강

Brain Game Zone 창의 융합 코딩 ❷

정답 7쪽

A 배달원이 책책이에게 음식을 배달해야 해요. 단서를 보고 글자판에서 그림에 알맞은 단어를 찾으며 길을 표시하세요. (단, 대각선 방향으로는 움직일 수 없어요.)

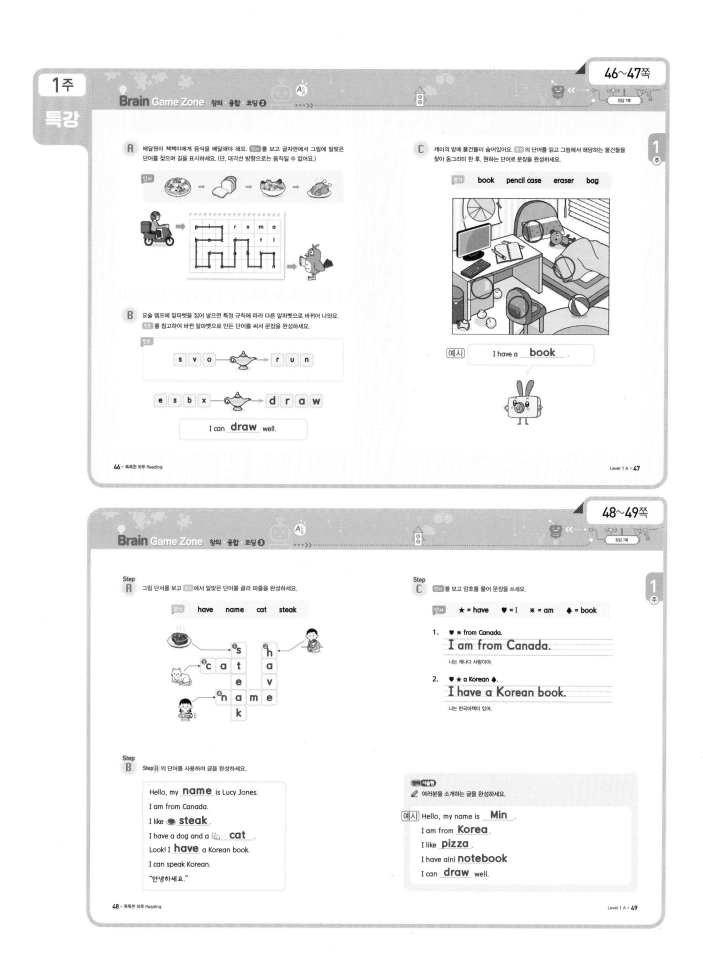

B 요술 램프에 알파벳을 집어 넣으면 특정 규칙에 따라 다른 알파벳으로 바뀌어 나와요. 힌트를 참고하여 바뀐 알파벳으로 만든 단어를 써서 문장을 완성하세요.

s v o → r u n

e s b x → **d r a w**

I can **draw** well.

C 캐미의 방에 물건들이 숨어있어요. 보기의 단어를 읽고 그림에서 해당하는 물건들을 찾아 동그라미 한 후, 원하는 단어로 문장을 완성하세요.

보기 book pencil case eraser bag

예시 I have a **book** .

Brain Game Zone 창의 융합 코딩 ❸

정답 7쪽

Step A 그림 단서를 보고 보기에서 알맞은 단어를 골라 퍼즐을 완성하세요.

보기 have name cat steak

① ²h
³c a t h
e a
⁴n a m e
k v

Step B Step A 의 단어를 사용하여 글을 완성하세요.

Hello, my **name** is Lucy Jones.
I am from Canada.
I like **steak** .
I have a dog and a **cat** .
Look! I **have** a Korean book.
I can speak Korean.
"안녕하세요."

Step C 단서를 보고 암호를 풀어 문장을 쓰세요.

단서 ★ = have ♥ = I ✷ = am ♠ = book

1. ♥ ✷ from Canada.
I am from Canada.
나는 캐나다 사람이야.

2. ♥ ★ a Korean ♠.
I have a Korean book.
나는 한국어책이 있어.

창의 서술형
✏ 여러분을 소개하는 글을 완성하세요.

예시 Hello, my name is **Min** .
I am from **Korea** .
I like **pizza** .
I have a(n) **notebook** .
I can **draw** well.

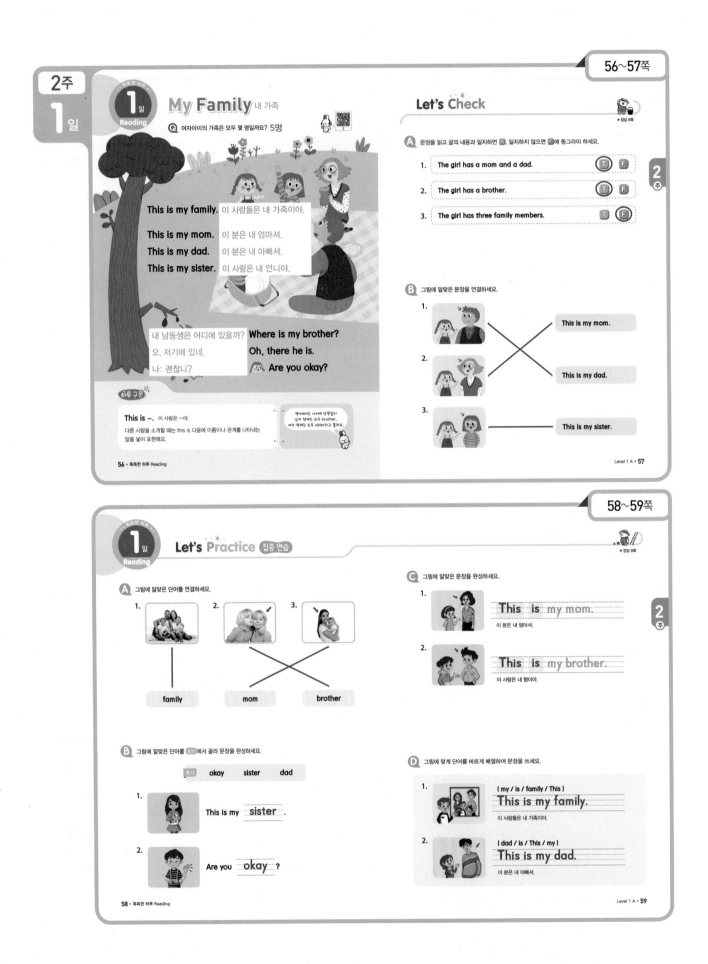

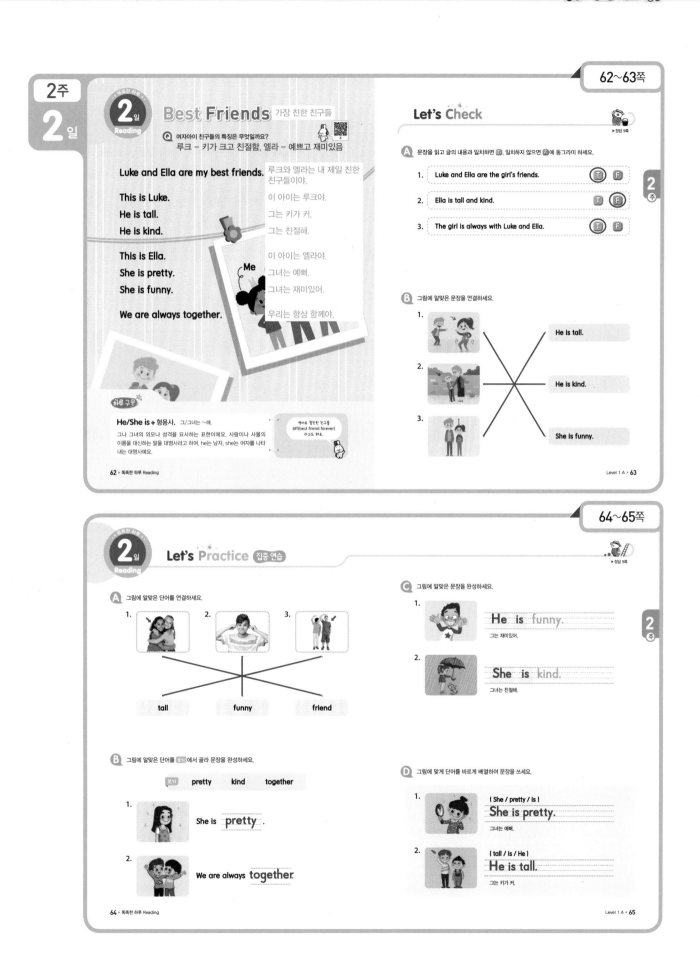

2주 2일

Best Friends 가장 친한 친구들

Q 여자아이 친구들의 특징은 무엇일까요?
루크 – 키가 크고 친절함, 엘라 – 예쁘고 재미있음

Luke and Ella are my best friends. / 루크와 엘라는 내 제일 친한 친구들이야.

This is Luke. / 이 아이는 루크야.
He is tall. / 그는 키가 커.
He is kind. / 그는 친절해.

This is Ella. / 이 아이는 엘라야.
She is pretty. / 그녀는 예뻐.
She is funny. / 그녀는 재미있어.

We are always together. / 우리는 항상 함께야.

He/She is + 형용사. 그/그녀는 ~해.
그나 그녀의 외모나 성격을 묘사하는 표현이에요. 사람이나 사물의 이름을 대신하는 말을 대명사라고 하며, he는 남자, she는 여자를 나타내는 대명사예요.

영어로 절친한 친구를 bff(best friend forever) 라고도 해요.

62 • 똑똑한 하루 Reading

Let's Check

▶정답 9쪽

A 문장을 읽고 글의 내용과 일치하면 T, 일치하지 않으면 F에 동그라미 하세요.

1. Luke and Ella are the girl's friends. — **T** / F
2. Ella is tall and kind. — T / **F**
3. The girl is always with Luke and Ella. — **T** / F

B 그림에 알맞은 문장을 연결하세요.

1. — She is funny.
2. — He is tall.
3. — He is kind.

Level 1 A • 63

2일

Let's Practice 집중 연습

▶정답 9쪽

A 그림에 알맞은 단어를 연결하세요.

1. — funny
2. — tall
3. — friend

B 그림에 알맞은 단어를 보기에서 골라 문장을 완성하세요.

보기 pretty   kind   together

1. She is **pretty**.
2. We are always **together**.

C 그림에 알맞은 문장을 완성하세요.

1. **He is funny.**
그는 재미있어.

2. **She is kind.**
그녀는 친절해.

D 그림에 맞게 단어를 바르게 배열하여 문장을 쓰세요.

1. (She / pretty / is)
She is pretty.
그녀는 예뻐.

2. (tall / is / He)
He is tall.
그는 키가 커.

64 • 똑똑한 하루 Reading

Level 1 A • 65

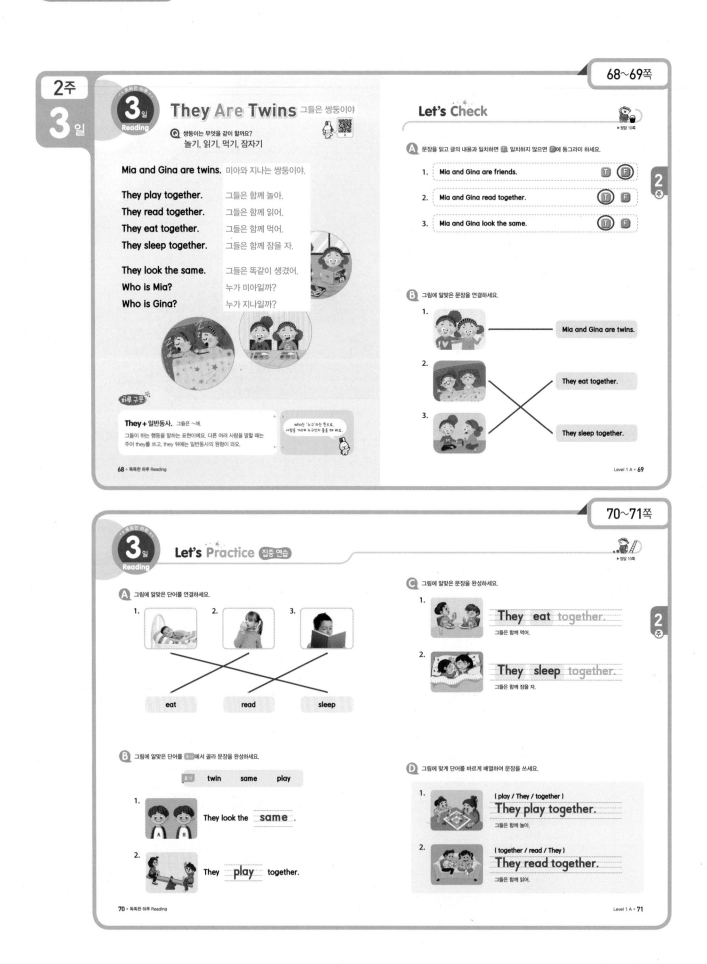

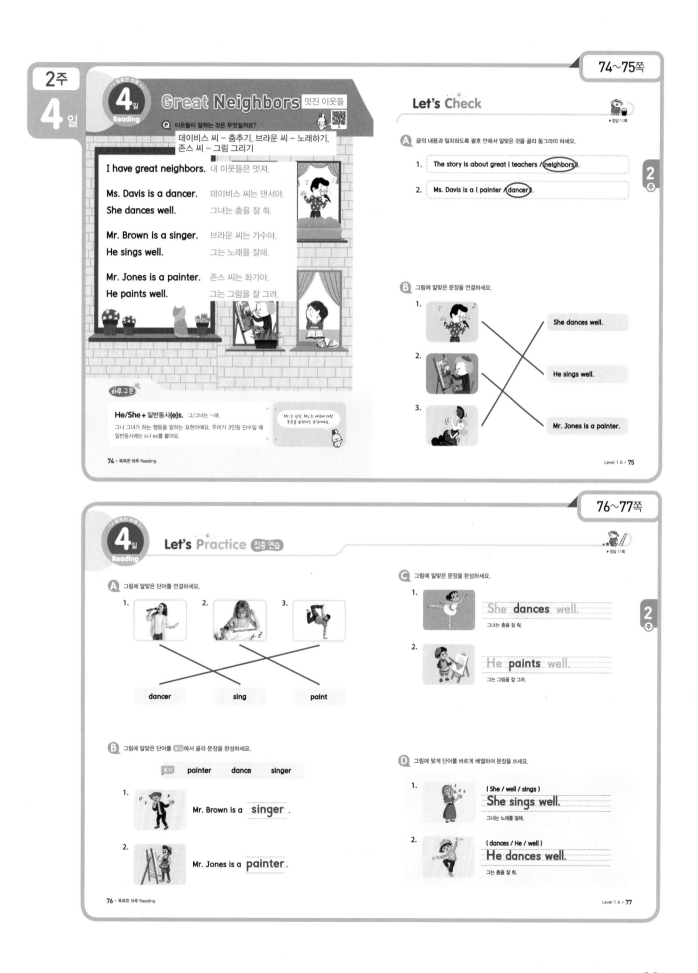

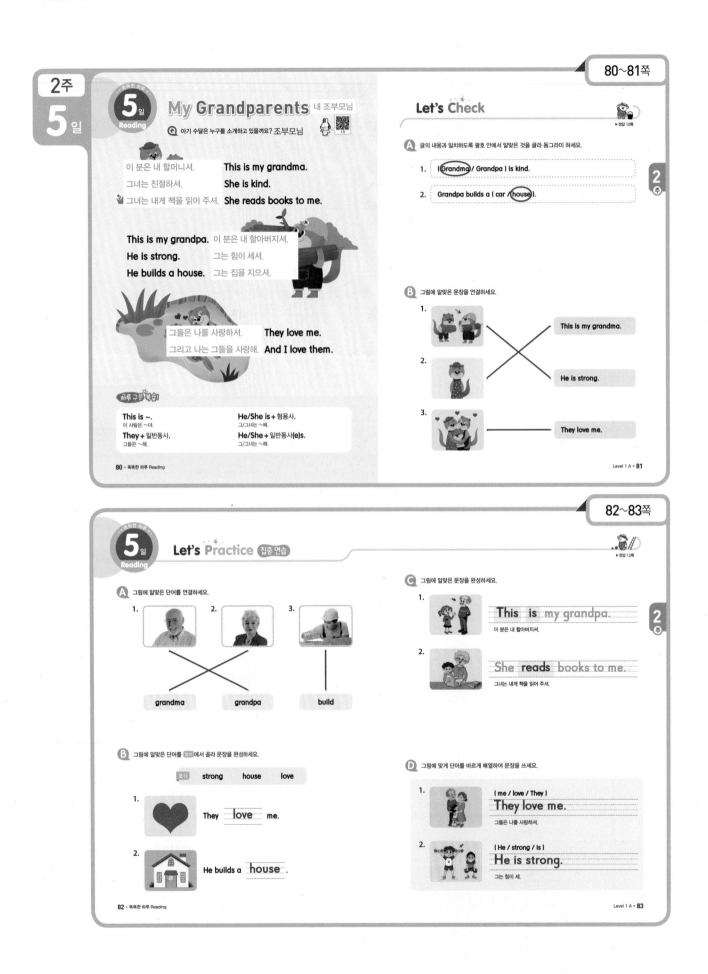

2주 특강

2주 누구나 100점 TEST

맞은 개수 /8개
▶정답 13쪽

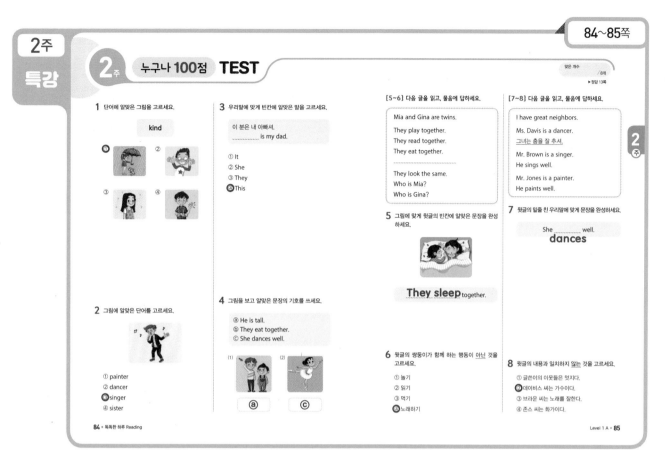

1 단어에 알맞은 그림을 고르세요.

kind

① ② ③ ④

2 그림에 알맞은 단어를 고르세요.

① painter
② dancer
③ singer
④ sister

3 우리말에 맞게 빈칸에 알맞은 말을 고르세요.

이 분은 내 아빠셔.
_____ is my dad.

① It
② She
③ They
④ This

4 그림을 보고 알맞은 문장의 기호를 쓰세요.

ⓐ He is tall.
ⓑ They eat together.
ⓒ She dances well.

(1) ⓐ (2) ⓒ

[5~6] 다음 글을 읽고, 물음에 답하세요.

Mia and Gina are twins.
They play together.
They read together.
They eat together.

They look the same.
Who is Mia?
Who is Gina?

5 그림에 맞게 윗글의 빈칸에 알맞은 문장을 완성하세요.

They sleep together.

6 윗글의 쌍둥이가 함께 하는 행동이 아닌 것을 고르세요.

① 놀기
② 읽기
③ 먹기
④ 노래하기

[7~8] 다음 글을 읽고, 물음에 답하세요.

I have great neighbors.
Ms. Davis is a dancer.
그녀는 춤을 잘 추셔.
Mr. Brown is a singer.
He sings well.
Mr. Jones is a painter.
He paints well.

7 윗글의 밑줄 친 우리말에 맞게 문장을 완성하세요.

She _____ well.
dances

8 윗글의 내용과 일치하지 않는 것을 고르세요.

① 글쓴이의 이웃들은 멋지다.
② 데이비스 씨는 가수이다.
③ 브라운 씨는 노래를 잘한다.
④ 존스 씨는 화가이다.

2주 특강 Brain Game Zone 창의 · 융합 · 코딩 ❶

정답 13쪽

배운 내용을 떠올리며 말판 놀이를 해 보세요.

2. 그림에 알맞은 단어를 완성하세요.
p r e t ty

3. 그림과 단어가 일치하면 ○ 표, 일치하지 않으면 × 표 하세요.
grandma ×

4. 단어를 읽고 알맞은 우리말 뜻과 연결하세요.
play — 놀다
family — 가족

1. 그림을 보고 알맞은 단어에 동그라미 하세요.
eat build

5. 그림을 보고 알파벳을 바르게 배열하여 단어를 쓰세요.
unyfn →funny

9. 우리말에 맞게 단어를 바르게 배열하여 문장을 쓰세요.
그들은 함께 읽어.
(together / They / read)
→ They read together.

10. 우리말에 맞게 문장을 완성하세요.
이 사람은 내 형이야.
→This is my brother.

FINISH

START

6. 문장을 읽고 알맞은 그림에 동그라미 하세요.
This is my mom.

7. 그림과 문장이 일치하면 ○ 표, 일치하지 않으면 × 표 하세요.
She is strong. ○

8. 그림을 보고 알맞은 문장에 ✓ 표 하세요.
She paints well. □
She sings well. ✓

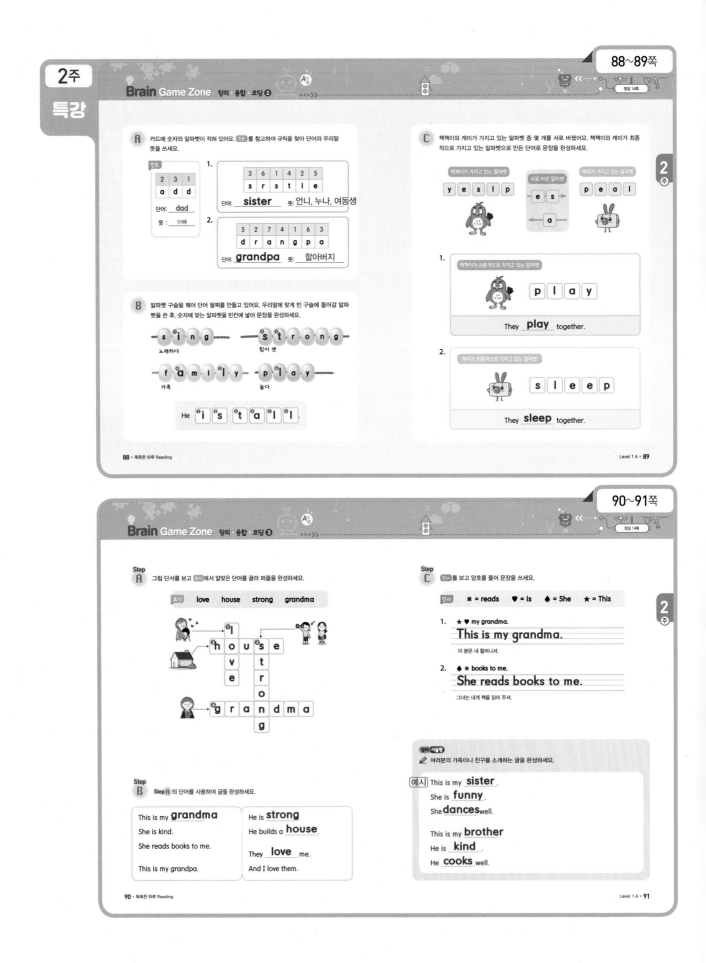

3주
1일
Reading

Yard Sale 야드 세일

Q 여자아이가 팔고 있는 물건은 무엇일까요?

인형, 공, 카메라, 컵

Sally has a yard sale.	샐리는 야드 세일을 해.
This is a doll.	이것은 인형이야.
This is a ball.	이것은 공이야.
That is a camera.	저것은 카메라야.
That is a cup.	저것은 컵이야.
Is that a toy?	남아: 저것은 장난감이니?
No, it is a spider.	샐리: 아니, 그것은 거미야.
Run!	도망가!

하루 구문

This/That is a ~. 이것/저것은 ~야.

주변의 사물을 나타내는 표현이에요. this는 손안이나 가까운 곳, that은 상대적으로 먼 곳에 있는 사물 하나를 지시할 때 써요.

사용하지 않는 물건을 집 바닥에 내놓고 파는 것을 야드 세일이라고 해요.

98 · 똑똑한 하루 Reading

Let's Check

▶정답 15쪽

Ⓐ 문장을 읽고 글의 내용과 일치하면 T, 일치하지 않으면 F에 동그라미 하세요.

1. Sally has a yard sale. (**T**) F
2. Sally sells a camera. (**T**) F
3. Sally sells a spider. T (**F**)

Ⓑ 그림에 알맞은 문장을 연결하세요.

1. → This is a doll.
2. → This is a ball.
3. → That is a cup.

Level 1 A · 99

1일
Reading

Let's Practice 집중 연습

▶정답 15쪽

Ⓐ 그림에 알맞은 단어를 연결하세요.

1. 2. 3.

doll   ball   cup

Ⓑ 그림에 알맞은 단어를 보기에서 골라 문장을 완성하세요.

보기   toy   spider   camera

1. That is a **camera**.

2. It is a **spider**.

Ⓒ 그림에 알맞은 문장을 완성하세요.

1. **That is a cup.**
저것은 컵이야.

2. **This is a doll.**
이것은 인형이야.

Ⓓ 그림에 맞게 단어를 바르게 배열하여 문장을 쓰세요.

1. (a / This / ball / is)
This is a ball.
이것은 공이야.

2. (toy / is / a / That)
That is a toy.
저것은 장난감이야.

100 · 똑똑한 하루 Reading

Level 1 A · 101

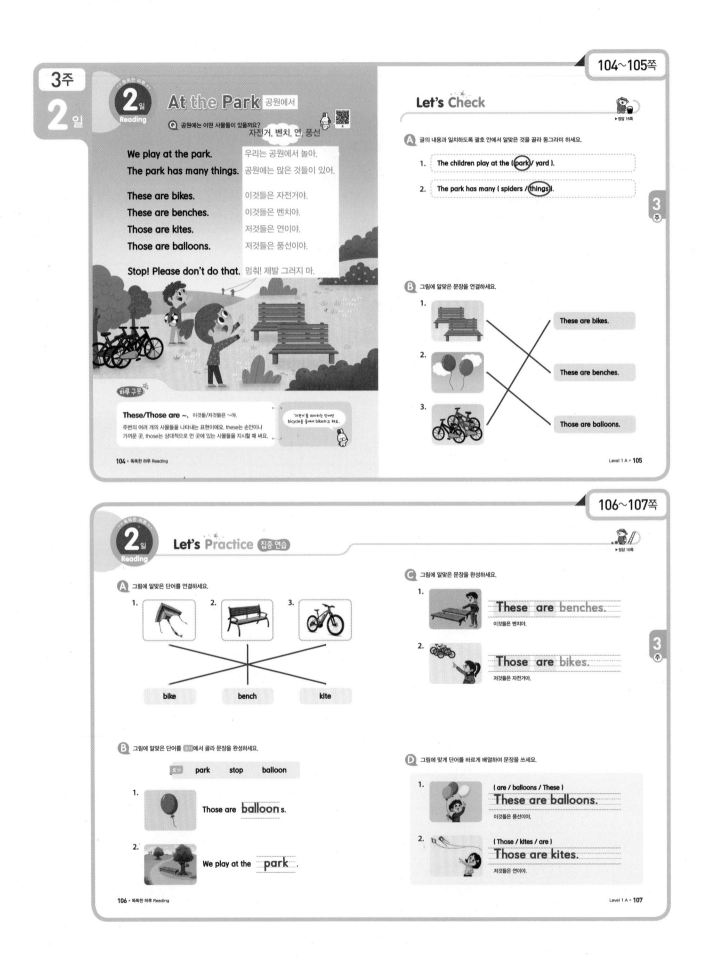

3주

2일 Reading

At the Park 공원에서

Q 공원에는 어떤 사물들이 있을까요?
자전거, 벤치, 연, 풍선

We play at the park. 우리는 공원에서 놀아.
The park has many things. 공원에는 많은 것들이 있어.

These are bikes. 이것들은 자전거야.
These are benches. 이것들은 벤치야.
Those are kites. 저것들은 연이야.
Those are balloons. 저것들은 풍선이야.

Stop! Please don't do that. 멈춰! 제발 그러지 마.

하루 구문

These/Those are ~. 이것들/저것들은 ~야.
주변의 여러 개의 사물들을 나타내는 표현이에요. these는 손안이나
가까운 곳, those는 상대적으로 먼 곳에 있는 사물들을 지시할 때 써요.

'자전거'를 의미하는 단어엔
bicycle을 줄여서 bike라고 해요.

104 • 똑똑한 하루 Reading

Let's Check

▶정답 16쪽

Ⓐ 글의 내용과 일치하도록 괄호 안에서 알맞은 것을 골라 동그라미 하세요.

1. The children play at the ((park) / yard).

2. The park has many (spiders / (things)).

Ⓑ 그림에 알맞은 문장을 연결하세요.

1. — These are bikes.

2. — These are benches.

3. — Those are balloons.

Level 1 A • 105

2일 Reading

Let's Practice 집중 연습

▶정답 16쪽

Ⓐ 그림에 알맞은 단어를 연결하세요.

1. 2. 3.

bike   bench   kite

Ⓑ 그림에 알맞은 단어를 보기 에서 골라 문장을 완성하세요.

보기 park   stop   balloon

1. Those are **balloon**s.

2. We play at the **park**.

106 • 똑똑한 하루 Reading

Ⓒ 그림에 알맞은 문장을 완성하세요.

1. **These are** benches.
이것들은 벤치야.

2. **Those are** bikes.
저것들은 자전거야.

Ⓓ 그림에 맞게 단어를 바르게 배열하여 문장을 쓰세요.

1. (are / balloons / These)
These are balloons.
이것들은 풍선이야.

2. (Those / kites / are)
Those are kites.
저것들은 연이야.

Level 1 A • 107

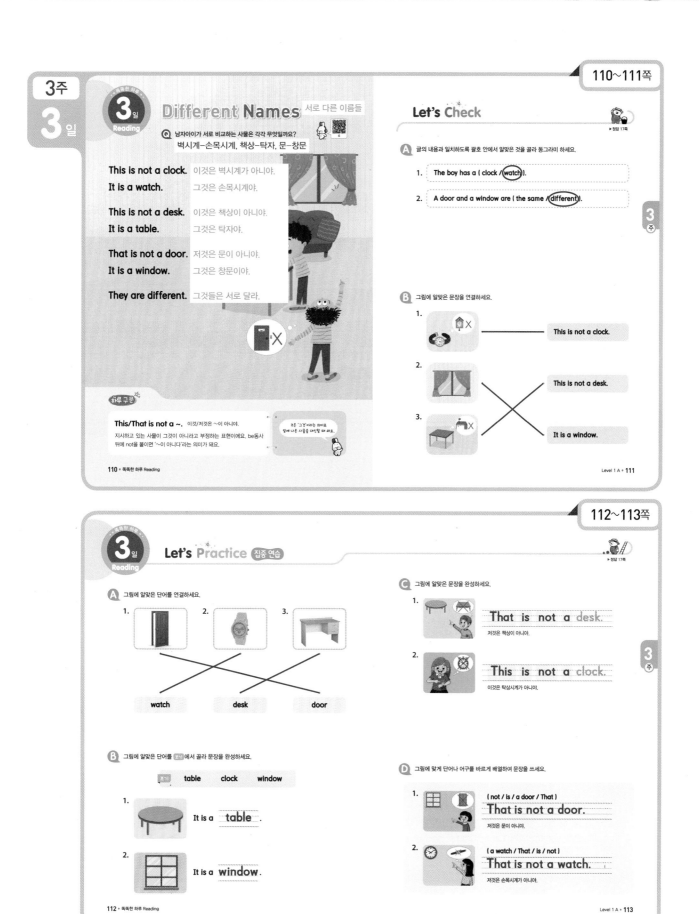

3주 3일

3일 Reading
Different Names 서로 다른 이름들

Q 남자아이가 서로 비교하는 사물은 각각 무엇일까요?
벽시계–손목시계, 책상–탁자, 문–창문

This is not a clock. 이것은 벽시계가 아니야.
It is a watch. 그것은 손목시계야.

This is not a desk. 이것은 책상이 아니야.
It is a table. 그것은 탁자야.

That is not a door. 저것은 문이 아니야.
It is a window. 그것은 창문이야.

They are different. 그것들은 서로 달라.

하루 구문

This/That is not a ~. 이것/저것은 ~이 아니야.
지시하고 있는 사물이 그것이 아니라고 부정하는 표현이에요. be동사 뒤에 not을 붙이면 '~이 아니다'라는 의미가 돼요.

it은 '그것'이라는 의미로 앞에 나온 사물을 대신할 때 써요.

110 • 똑똑한 하루 Reading

Let's Check
▶ 정답 17쪽

A 글의 내용과 일치하도록 괄호 안에서 알맞은 것을 골라 동그라미 하세요.

1. The boy has a (clock /(watch)).
2. A door and a window are (the same /(different)).

B 그림에 알맞은 문장을 연결하세요.

1. — This is not a clock.
2. × This is not a desk.
3. It is a window.

Level 1 A • 111

3일 Reading
Let's Practice 집중 연습
▶ 정답 17쪽

A 그림에 알맞은 단어를 연결하세요.

1. 2. 3.

watch   desk   door

B 그림에 알맞은 단어를 보기에서 골라 문장을 완성하세요.

보기 table   clock   window

1. It is a **table** .
2. It is a **window** .

C 그림에 알맞은 문장을 완성하세요.

1. That is not a desk.
저것은 책상이 아니야.

2. This is not a clock.
이것은 탁상시계가 아니야.

D 그림에 맞게 단어나 어구를 바르게 배열하여 문장을 쓰세요.

1. (not / is / a door / That)
That is not a door.
저것은 문이 아니야.

2. (a watch / That / is / not)
That is not a watch.
저것은 손목시계가 아니야.

112 • 똑똑한 하루 Reading

Level 1 A • 113

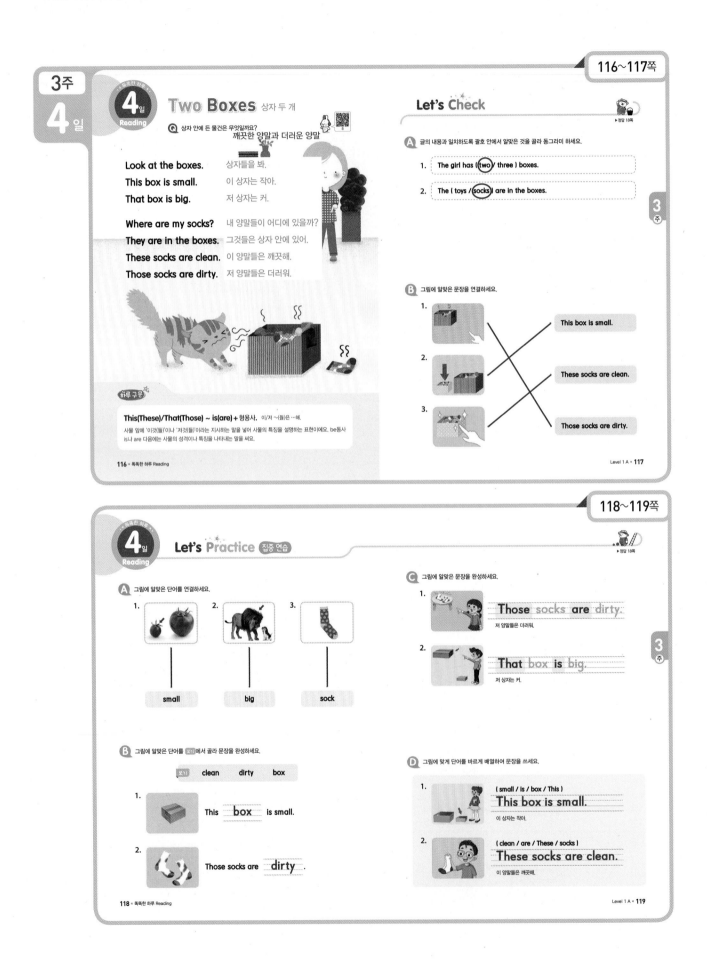

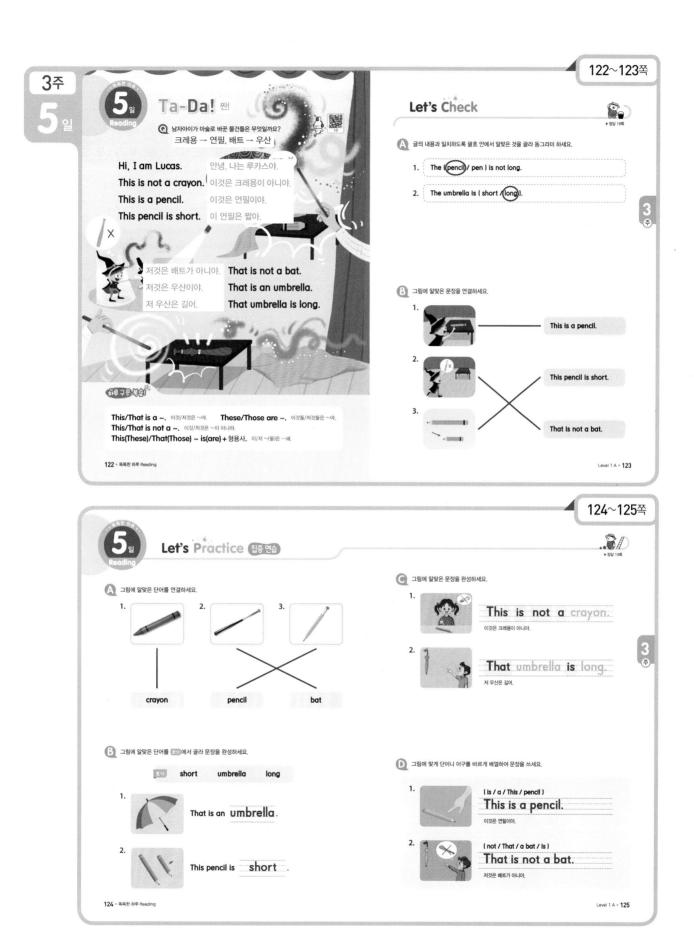

3주 5일

5일 Reading

Ta-Da! 짠!

Q 남자아이가 마술로 바꾼 물건들은 무엇일까요?
크레용 → 연필, 배트 → 우산

Hi, I am Lucas.
This is not a crayon.
This is a pencil.
This pencil is short.

안녕, 나는 루카스야.
이것은 크레용이 아니야.
이것은 연필이야.
이 연필은 짧아.

저것은 배트가 아니야.
저것은 우산이야.
저 우산은 길어.

That is not a bat.
That is an umbrella.
That umbrella is long.

하루 구문 복습!

This/That is a ~. 이것/저것은 ~야.   These/Those are ~. 이것들/저것들은 ~야.
This/That is not a ~. 이것/저것은 ~이 아니야.
This(These)/That(Those) ~ is(are) + 형용사. 이/저 ~(들)은 …해.

122 · 똑똑한 하루 Reading

Let's Check

▶ 정답 19쪽

A 글의 내용과 일치하도록 괄호 안에서 알맞은 것을 골라 동그라미 하세요.

1. The ((pencil) / pen) is not long.

2. The umbrella is (short / (long)).

B 그림에 알맞은 문장을 연결하세요.

1. — This is a pencil.

2. — This pencil is short.

3. — That is not a bat.

Level 1 A · 123

5일 Reading

Let's Practice 집중 연습

▶ 정답 19쪽

A 그림에 알맞은 단어를 연결하세요.

1. 2. 3.

crayon   pencil   bat

B 그림에 알맞은 단어를 보기에서 골라 문장을 완성하세요.

보기 short   umbrella   long

1. That is an **umbrella**.

2. This pencil is **short**.

C 그림에 알맞은 문장을 완성하세요.

1. **This is not a crayon.**
이것은 크레용이 아니야.

2. **That umbrella is long.**
저 우산은 길어.

D 그림에 맞게 단어나 어구를 바르게 배열하여 문장을 쓰세요.

1. (is / a / This / pencil)
This is a pencil.
이것은 연필이야.

2. (not / That / a bat / is)
That is not a bat.
저것은 배트가 아니야.

124 · 똑똑한 하루 Reading

Level 1 A · 125

3주 특강

3주 누구나 100점 TEST

맞은 개수 /8개
▶정답 20쪽

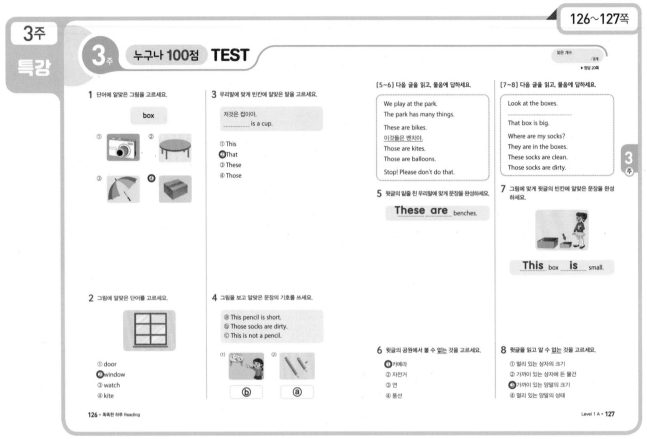

1 단어에 알맞은 그림을 고르세요.

box

① ② ③ ④(정답)

2 그림에 알맞은 단어를 고르세요.

① door
②(정답) window
③ watch
④ kite

3 우리말에 맞게 빈칸에 알맞은 말을 고르세요.

저것은 컵이야.
_____ is a cup.

① This
②(정답) That
③ These
④ Those

4 그림을 보고 알맞은 문장의 기호를 쓰세요.

ⓐ This pencil is short.
ⓑ Those socks are dirty.
ⓒ This is not a pencil.

(1) ⓑ (2) ⓐ

[5~6] 다음 글을 읽고, 물음에 답하세요.

We play at the park.
The park has many things.
These are bikes.
이것들은 벤치야.
Those are kites.
Those are balloons.
Stop! Please don't do that.

5 윗글의 밑줄 친 우리말에 맞게 문장을 완성하세요.

These are benches.

6 윗글의 공원에서 볼 수 없는 것을 고르세요.

①(정답) 카메라
② 자전거
③ 연
④ 풍선

[7~8] 다음 글을 읽고, 물음에 답하세요.

Look at the boxes.

That box is big.
Where are my socks?
They are in the boxes.
These socks are clean.
Those socks are dirty.

7 그림에 맞게 윗글의 빈칸에 알맞은 문장을 완성하세요.

This box is small.

8 윗글을 읽고 알 수 없는 것을 고르세요.

① 멀리 있는 상자의 크기
② 가까이 있는 상자에 든 물건
③(정답) 가까이 있는 양말의 크기
④ 멀리 있는 양말의 상태

3주 특강

창의·융합·코딩 ❶
Brain Game Zone

정답 20쪽

🎲 배운 내용을 떠올리며 말판 놀이를 해 보세요.

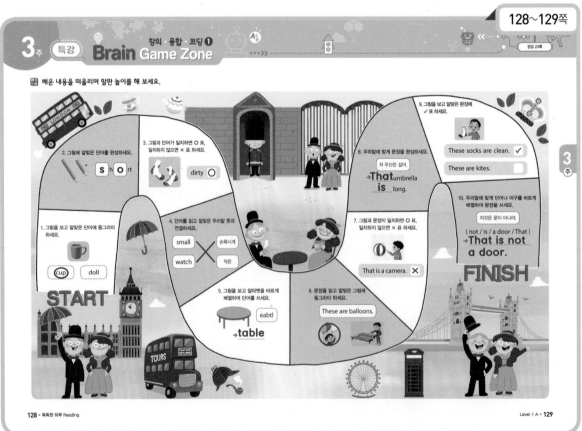

2. 그림에 알맞은 단어를 완성하세요.
s h o rt

3. 그림과 단어가 일치하면 O 표,
일치하지 않으면 × 표 하세요.
dirty O

9. 그림을 보고 알맞은 문장에 ✓ 표 하세요.
These socks are clean. ✓
These are kites. ☐

8. 우리말에 맞게 문장을 완성하세요.
저 우산은 길어.
→That umbrella is long.

1. 그림을 보고 알맞은 단어에 동그라미 하세요.
cup doll

4. 단어를 읽고 알맞은 우리말 뜻과 연결하세요.
small — 손목시계
watch × 작은

7. 그림과 문장이 일치하면 O 표,
일치하지 않으면 × 표 하세요.
That is a camera. ×

10. 우리말에 맞게 단어나 어구를 바르게 배열하여 문장을 쓰세요.
저것은 문이 아니야.
(not / is / a door / That)
→That is not a door.

START

5. 그림을 보고 알파벳을 바르게 배열하여 단어를 쓰세요.
eabtl
→table

6. 문장을 읽고 알맞은 그림에 동그라미 하세요.
These are balloons.

FINISH

130~131쪽

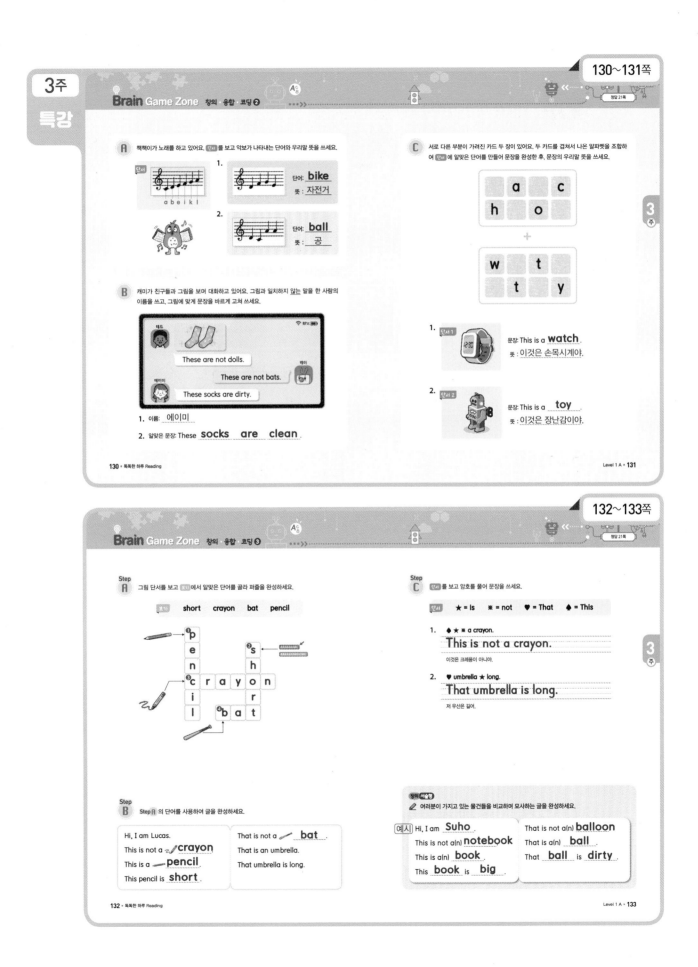

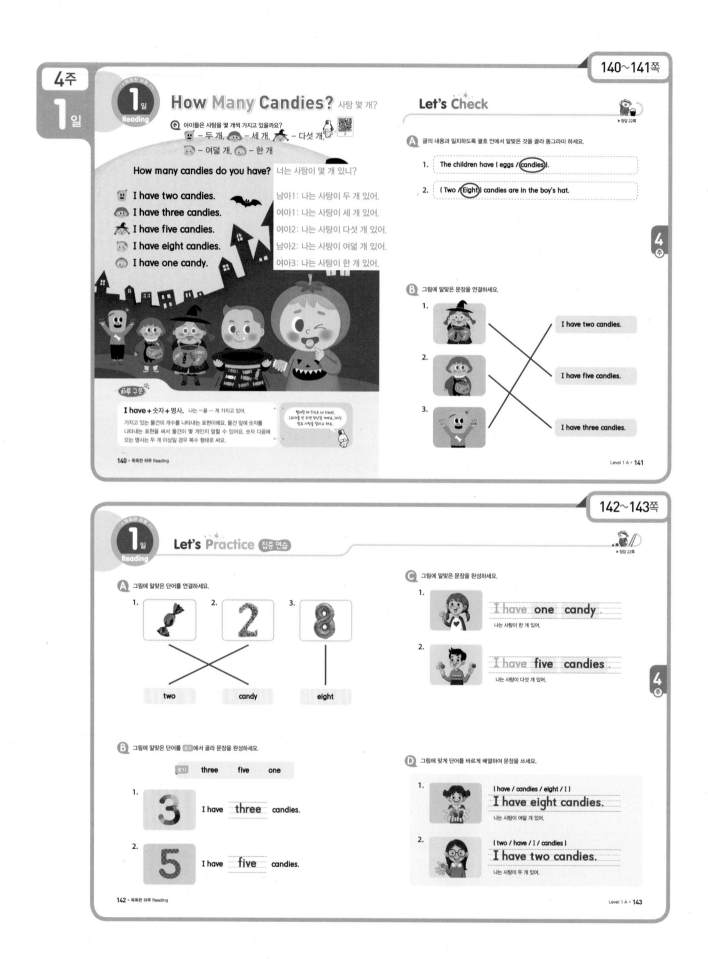

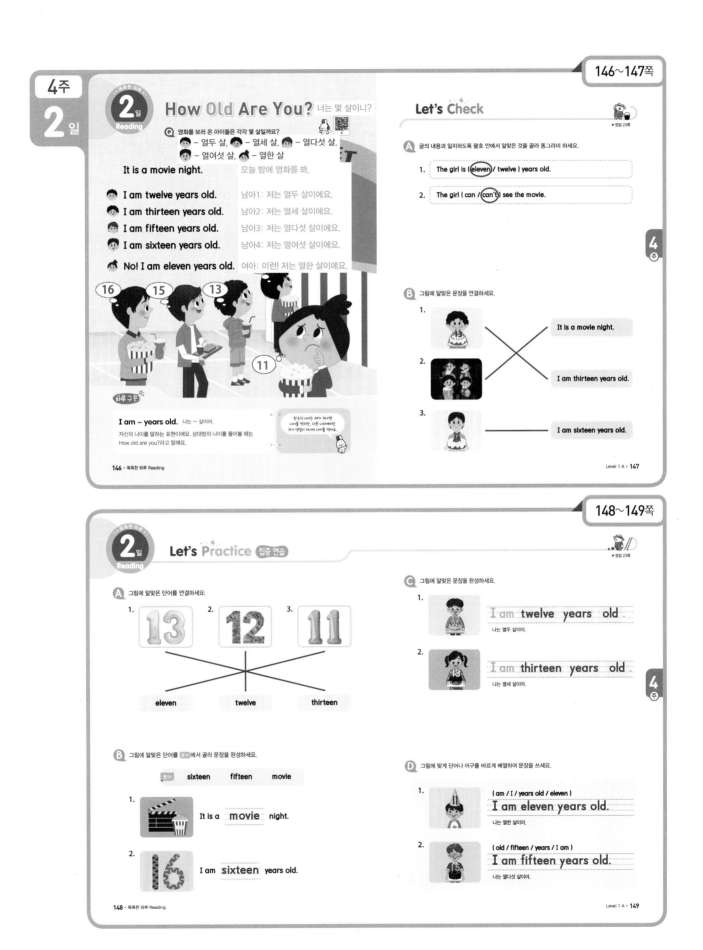

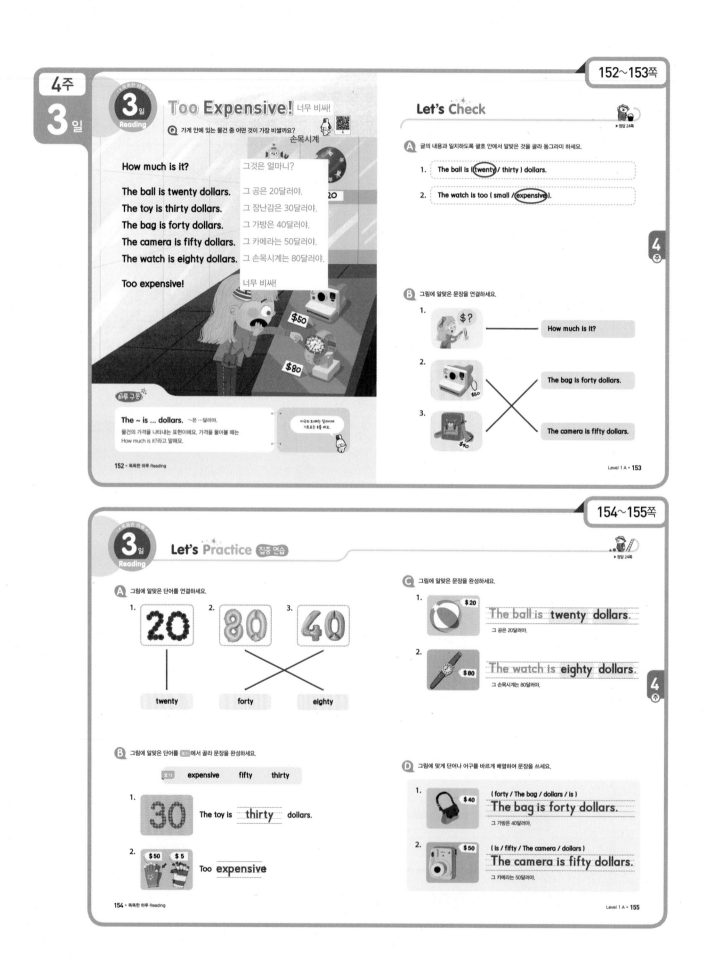

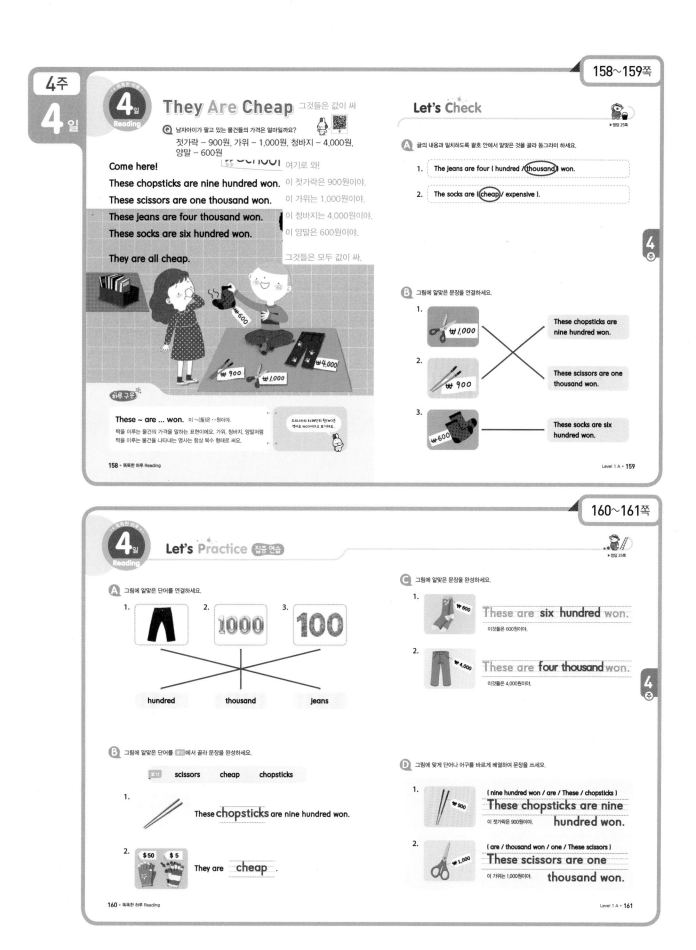

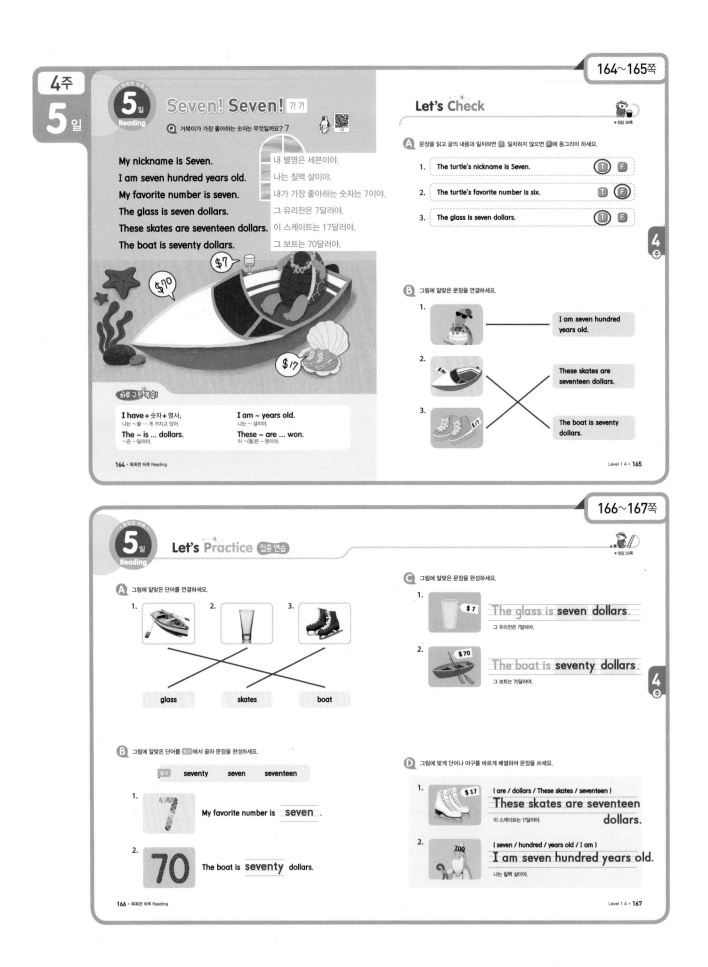

4주 특강

4주 누구나 100점 TEST

맞은 개수 /8개
▶정답 27쪽

1 단어에 알맞은 그림을 고르세요.

five

① 3 ② 5 ③ 15 ④ 50

2 그림에 알맞은 단어를 고르세요.

7

① six
② seven
③ seventeen
④ seventy

3 우리말에 맞게 빈칸에 알맞은 말을 고르세요.

나는 열세 살이야.
I am thirteen _____.

① hundred dollars
② thousand won
③ year old
④ years old

4 그림을 보고 알맞은 문장의 기호를 쓰세요.

ⓐ The bag is forty dollars.
ⓑ I have one candy.
ⓒ These socks are six hundred won.

(1) ⓒ (2) ⓐ

[5~6] 다음 글을 읽고, 물음에 답하세요.

How much is it?
The ball is twenty dollars.
장난감은 30달러야.
The bag is forty dollars.
The camera is fifty dollars.
The watch is eighty dollars.
Too expensive!

5 윗글의 밑줄 친 우리말에 맞게 문장을 완성하세요.

The toy is **thirty dollars**

6 윗글의 내용과 일치하지 않는 것을 고르세요.

① 가방은 40달러이다.
② 손목시계는 80달러이다.
③ 가장 싼 물건은 공이다.
④ 가장 비싼 물건은 카메라이다.

[7~8] 다음 글을 읽고, 물음에 답하세요.

Come here!
These chopsticks are nine hundred won.
_____
These jeans are four thousand won.
These socks are six hundred won.
They are all cheap.

7 그림에 맞게 윗글의 빈칸에 알맞은 문장을 완성하세요.

₩1,000

These scissors **are one thousand** won.

8 물건의 가격이 높은 순으로 바르게 배열한 것을 고르세요.

① 젓가락 - 청바지 - 양말
② 양말 - 청바지 - 젓가락
③ 청바지 - 양말 - 젓가락
④ 청바지 - 젓가락 - 양말

4주 특강 Brain Game Zone

창의·융합·코딩 ❶

▶정답 27쪽

🎲 배운 내용을 떠올리며 말판 놀이를 해 보세요.

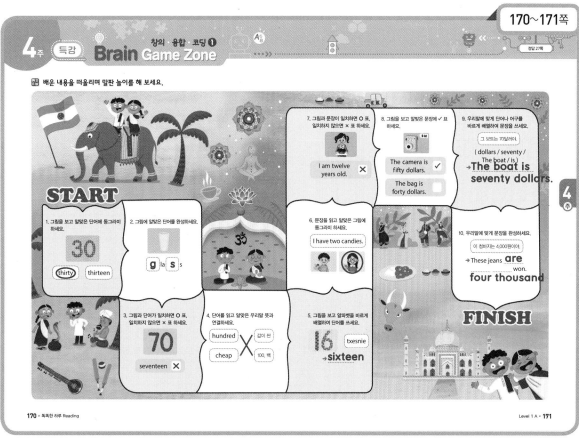

START

1. 그림을 보고 알맞은 단어에 동그라미 하세요.

30 → (thirty) / thirteen

2. 그림에 알맞은 단어를 완성하세요.

g la **s** s

3. 그림과 단어가 일치하면 O 표, 일치하지 않으면 X 표 하세요.

70 seventeen ✕

4. 단어를 읽고 알맞은 우리말 뜻과 연결하세요.

hundred ✕ 값이 싼
cheap 100, 백

5. 그림을 보고 알파벳을 바르게 배열하여 단어를 쓰세요.

16 txesnie →**sixteen**

6. 문장을 읽고 알맞은 그림에 동그라미 하세요.

I have two candies.

7. 그림과 문장이 일치하면 O 표, 일치하지 않으면 X 표 하세요.

I am twelve years old. ✕

8. 그림을 보고 알맞은 문장에 ✓ 표 하세요.

The camera is fifty dollars. ✓
The bag is forty dollars.

9. 우리말에 맞게 단어나 어구를 바르게 배열하여 문장을 쓰세요.

그 보트는 70달러야.
(dollars / seventy / The boat / is)
→**The boat is seventy dollars.**

10. 우리말에 맞게 문장을 완성하세요.

이 청바지는 4,000원이야.
→ These jeans **are four thousand** won.

FINISH

4주
특강

Brain Game Zone 창의 · 융합 · 코딩 ②

정답 28쪽

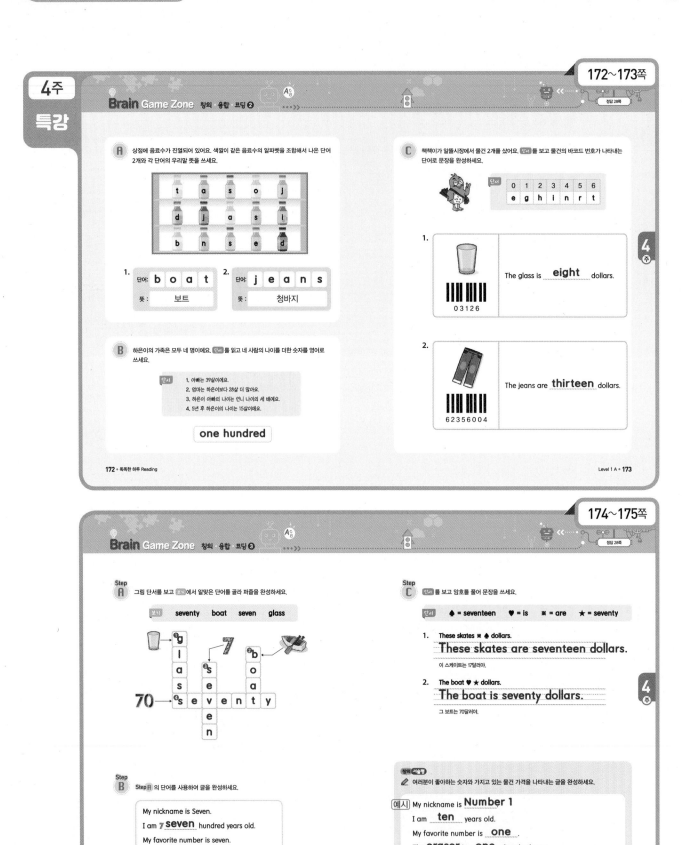

A 상점에 음료수가 진열되어 있어요. 색깔이 같은 음료수의 알파벳을 조합해서 나온 단어 2개와 각 단어의 우리말 뜻을 쓰세요.

t	a	s	o	j
d	j	a	s	l
b	n	s	e	d

1. 단어: **b o a t**
   뜻: 보트

2. 단어: **j e a n s**
   뜻: 청바지

B 하은이의 가족은 모두 네 명이에요. 단서 를 읽고 네 사람의 나이를 더한 숫자를 영어로 쓰세요.

단서
1. 아빠는 39살이에요.
2. 엄마는 하은이보다 28살 더 많아요.
3. 하은이 아빠의 나이는 언니 나이의 세 배예요.
4. 5년 후 하은이의 나이는 15살이에요.

one hundred

C 책책이가 알뜰시장에서 물건 2개를 샀어요. 단서 를 보고 물건의 바코드 번호가 나타내는 단어로 문장을 완성하세요.

단서
| 0 | 1 | 2 | 3 | 4 | 5 | 6 |
| e | g | h | i | n | r | t |

1.
03126
The glass is ___**eight**___ dollars.

2.
62356004
The jeans are ___**thirteen**___ dollars.

4주

Brain Game Zone 창의 · 융합 · 코딩 ③

정답 28쪽

Step A 그림 단서를 보고 보기 에서 알맞은 단어를 골라 퍼즐을 완성하세요.

보기 seventy boat seven glass

70 → s e v e n t y

Step B Step A 의 단어를 사용하여 글을 완성하세요.

My nickname is Seven.
I am 7 **seven** hundred years old.
My favorite number is seven.
The 🥛 **glass** is seven dollars.
These skates are seventeen dollars.
The 🚤 **boat** is 70 **seventy** dollars.

Step C 단서 를 보고 암호를 풀어 문장을 쓰세요.

단서 ♠ = seventeen ♥ = is ✳ = are ★ = seventy

1. These skates ✳ ♠ dollars.
   These skates are seventeen dollars.
   이 스케이트는 17달러야.

2. The boat ♥ ★ dollars.
   The boat is seventy dollars.
   그 보트는 70달러야.

창의 서술형
여러분이 좋아하는 숫자와 가지고 있는 물건 가격을 나타내는 글을 완성하세요.

예시 My nickname is **Number 1**
I am ___**ten**___ years old.
My favorite number is ___**one**___.
The **eraser** is ___**one**___ hundred won.
These **socks** are ___**one**___ thousand won.
The ___**ball**___ is ___**one**___ thousand won.

정답은
이안에
있어!